CURRENT FRENCH GRAMMAR IN REVIEW

With Everyday Idiom Drill and Conversational Practice

Lettres de Paris

Revised Edition

ARTHUR GIBBON BOVÉE

Officier d'Académie

Chevalier de la Légion d'honneur

DAVID HOBART CARNAHAN

MARIE-ANNE HAMEAU

D. C. HEATH AND COMPANY

A Division of Raytheon Education Company, Lexington, Massachusetts

Printed in the United States of America

Library of Congress Catalog Card Number: 69-19437

A

mon ancien élève

Richard Dana Hall

dont l'amitié et le dévouement ont été

un précieux soutien pendant

la préparation de cet ouvrage

A. G. B.

PREFACE

Lettres de Paris is a completely revised and updated edition of a book that has stood the pragmatic test of being widely used. Its basic rationale emphasizes the need for the student to be able to use French productively. A prime requisite for meeting this need is to develop in the learner control of structure as well as a useful vocabulary which reflects contemporary language and culture. Central to structural mastery is the verb. This text stresses verb forms, especially through the first six units. The order of presentation of the structure has been determined by the principle of frequency of use, but in such a manner that pedagogical considerations have been given precedence whenever necessary.

The decision to employ a series of letters as the contextual base for the text grew naturally out of a number of unforeseen events. A mission consisting of five French agricultural experts did actually visit the University of Georgia. It was only after the reception of two letters written by these French officials that it dawned on us that we had in hand the material for a book. Furthermore, by the happiest of coincidences, these letters contained precisely the grammar sequence which experience had demonstrated to be the right one. From this point on, the story developed naturally and logically. M. Pohl and M. Coquery graciously granted permission to use their letters.

Gratitude is expressed to Madame M. A. Hameau for revising the book. Mme Hameau is presently a professor at the Alliance Française de Paris. She was formerly an Associate Professor of French at the Transylvania College and at the University of Kentucky. She also taught French courses for American students in Paris. For twelve years she was conductor of the French program at the NATO Defense College, Paris.

V. H.

CONTENTS

Illustrations

PARIS
la Basilique du Sacré-Coeur
le Parc Monceau
la Bibliothèque Nationale
PLACE DE L'Opéra
la Madeleine
PLACE DE l'Étoile
PLACE DE la Concorde
RUE Royale
AV DE l'Opéra
RUE Richelieu
PLACE DU Palais-Royal
PLACE DU Carrousel
PLACE DU Chatelet
le Palais de Justice
PLACE DES Vosges
PLACE DE LA Bastille
RUE ST Honoré
L'AVENUE DES Champs-Élysées
Arc de Triomphe
RUE DE Rivoli
le Jardin des Tuileries
le Palais du Louvre
RUE DE Rivoli
la Seine
LE QUAI Voltaire
Pont au Change
la Sainte-Chapelle
pont de l'Alma
la Seine
Pont Alexandre III
Pont de la Concorde
ST Germain
l'École des Beaux Arts
Pont-Neuf
Notre-Dame de Paris
BOULEVARD ST Germain
la Seine
Pont d'Iéna
la Chapelle des Invalides
Tour Eiffel
le Jardin du Luxembourg
RUE DES Écoles
la Sorbonne
le Panthéon
BOULEVARD Raspail
BOULEVARD ST Michel
RUE d'Assas
RUE Vavin
RUE DE Vaugirard
Orly

Lettres de Paris

CURRENT FRENCH GRAMMAR IN REVIEW

Revised Edition

HARVEST SCENE

unit I

1. INFINITIVE
2. PRESENT INDICATIVE
3. IMPERATIVE
4. FUTURE INDICATIVE

DAILY VERBS: *avoir*
être

L'arrivée d'une mission agricole

New-York, le 22 Février

Mr. Arthur Gibbon Bovée
The University of Georgia
Department of Modern Foreign Languages
Athens, Georgia 5

Cher Monsieur,

Je me permets de vous informer qu'à la demande de l'Economic Cooperation Administration, 800 Connecticut Ave., N.W., Washington, D.C., je compte accompagner dans quelques jours à Athens, Géorgie, un groupe de quatre experts agricoles français. Ces messieurs sont 10
venus aux États-Unis pour étudier le fonctionnement des divers services

du Ministère de l'Agriculture. Ils désirent aussi s'initier aux méthodes américaines d'enseignement agricole.

Mes compatriotes seront très heureux de faire votre connaissance et de pouvoir échanger des idées susceptibles de présenter un intérêt
5 commun dans le domaine culturel. Durant notre séjour à Athens, nous passerons, évidemment, la plus grande partie de notre temps à l'Université de Géorgie.

Je sais que vous considérerez, à la fois comme un plaisir et comme un devoir, de recevoir ce groupe de Français avec toutes les marques de
10 bienveillance dont je vous sais coutumier. Je pense que les étudiants américains qui suivent les cours de français à l'Université auront plaisir à entrer en contact avec ces quatre experts. Je suis sûr que vous tiendrez à organiser une ou plusieurs réunions au cours desquelles vos élèves auront l'occasion de connaître ces visiteurs de France.

15 Je me réjouis, à l'avance, de vous rencontrer à Athens avec mes compatriotes que j'aurai l'honneur de vous présenter.

Je vous prie de bien vouloir me rappeler au bon souvenir de mon ami, le professeur Alciatore, et de lui dire que j'espère avoir le plaisir de le voir lorsque nous serons à Athens.

20 Avec mes remerciements anticipés, veuillez agréer, cher Monsieur, l'assurance de mes sentiments les meilleurs.

Lucien Pohl

Membre de la Mission
française des céréales aux États-Unis

Détaché du Ministère de
l'Agriculture française

CHOIX D'EXPRESSIONS

à la fois	both, at the same time
à l'avance	in advance
avoir l'occasion de + *inf.*	to have an opportunity to
avoir plaisir à + *inf.*	to take pleasure in, be pleased to
faire la connaissance (de)	to make the acquaintance (of)
se permettre de + *inf.*	to take the liberty of
veuillez me rappeler au bon souvenir de	please remember me kindly to
tenir à + *inf.*	to be eager (anxious) to, want very much to
vouloir bien + *inf.*	to be good enough (to)
au cours de	in the course of

QUESTIONNAIRE

1. Qui a écrit cette lettre? 2. A qui cette lettre est-elle adressée? 3. Qui M. Pohl doit-il accompagner en Géorgie? 4. Pourquoi les experts français sont-ils venus aux États-Unis? 5. A quoi désirent-ils aussi s'initier? 6. Quelles idées désirent-ils échanger? 7. Où passeront-ils la plus grande partie de leur temps en Géorgie? 8. Comment le Professeur Bovée recevra-t-il les experts français? 9. Que tiendra-t-il à organiser? 10. Qui aura plaisir à entrer en contact avec les Français? 11. De quoi M. Pohl se réjouit-il? 12. Que demande M. Pohl à M. Bovée au sujet du Professeur Alciatore?

MISE AU POINT GRAMMATICALE

1. INFINITIVE

FIRST CONJ. **parler** (*to speak*)
SECOND CONJ. **finir** (*to finish*)
THIRD CONJ. **répondre** (*to reply*)

EXPLANATION

1. This form of the verb is limited neither by person, nor by number, nor by time, hence its name: *l'infinitif* (*non fini*).
2. The infinitive is really a verbal noun and as such can fulfill all the functions of a noun.
3. The infinitive has two senses:

PRESENT chanter (*to sing*); revenir (*to come back*); s'amuser (*to have a good time*)
PAST avoir chanté (*to have sung*); être revenu(e)(s) (*to have come back*); s'être amusé(e)(s) (*to have had a good time*)

USE

1. As the subject of a verb:

Mentir est honteux.	Lying is shameful.

2. As the direct object of a verb:

Je compte **accompagner** un groupe d'experts.	I expect to accompany a group of experts.
J'entends **frapper.**	I hear someone knocking.

The following are some of the most common verbs which take the infinitive as a direct object. (There is no intervening preposition.)

aimer (*in conversation*)	devoir	falloir	savoir
aimer mieux	écouter	laisser	sembler
aller	entendre	oser	valoir mieux
avoir beau	envoyer	penser[1]	venir
compter	espérer	pouvoir	voir
croire	faillir	préférer	vouloir
désirer	faire	regarder	

3. As the object of a preposition:

Vous tiendrez à **organiser** plusieurs réunions.	You will be eager to arrange several meetings.
Je me permets de vous **informer.**	I take the liberty of advising you.

The prepositions **à, de, pour, sans, après, par** require the infinitive as an object. **En** is the only preposition not followed by the infinitive. **Après** requires the past infinitive.

après avoir fini   après être arrivé(e)(s)

The following are some of the most common verbs which take **de** before a following infinitive:

s'agir	se dépêcher	manquer	proposer
cesser	dire	négliger	refuser
conseiller	écrire	offrir	regretter
craindre	empêcher	oublier	tâcher
décider[1]	essayer	permettre	téléphoner
défendre	faire bien	prier	venir (*have just*)
demander	finir	promettre	

The following are some of the common verbs and expressions which take **à** before a following infinitive:

aider	chercher	inviter	renoncer
aimer (*in literature*)	commencer	se mettre	réussir
s'amuser	consentir	parvenir	songer
apprendre	continuer[2]	passer du temps	tarder
arriver	décider (*induce*)	penser (*think about*)	tenir
avoir	se décider	avoir plaisir	venir (*happen*)
avoir (de la) peine	hésiter	se préparer	

[1] See verbs that take **à.** [2] Often **de** instead of **à.**

SUMMARY: There are three principal uses of the infinitive[1]:

(1) As the subject of a verb.
(2) As the direct object of a verb.
(3) As the object of a preposition.

2. PRESENT INDICATIVE

FORMATION

FIRST CONJ.	parler:	**parl**	**–e,**	**–es,**	**–e,**
			–ons,	**–ez,**	**–ent**
SECOND CONJ.	finir:	**fin**	**–is,**	**–is,**	**–it,**
			–issons,	**–issez,**	**–issent**
THIRD CONJ.	répondre:	**répond**	**–s,**	**–s,**	**—,**[2]
			–ons,	**–ez,**	**–ent**

The present tense (*le présent*) is regularly formed by removing the **–er, –ir, –re** of the infinitive and adding the appropriate present endings.

SPECIAL GROUP partir (*to depart*): **pars, pars, part, partons, partez, partent**

Like **partir:** sortir (*to go out*), dormir (*to sleep*), servir (*to serve*), sentir (*to feel*), mentir (*to lie*)

USE

1. The present tense not only asserts that an action is taking place at the time when one is speaking, but also insists that the action is not yet completed:

Nous étudions le verbe français.	We are studying the French verb.

2. The present tense expresses an action that is general and habitual:

Quand je suis fatigué, je me repose.	Whenever I am tired, I rest.
L'homme propose, Dieu dispose.	Man proposes, God disposes.

[1] The infinitive may also be used with imperative force. Note the directions for a few of the exercises. [2] This form ends in **–t** in **rompre** and its compounds (page 207).

3. IMPERATIVE

FORMATION

1. Regular:

FIRST CONJ.	parler:	**parle, parlons, parlez**
SECOND CONJ.	finir:	**finis, finissons, finissez**
THIRD CONJ.	répondre:	**réponds, répondons, répondez**
SPECIAL GROUP	partir:	**pars, partons, partez**

The imperative (*l'impératif*) is regularly formed by using the same forms as the second person singular and first and second persons plural of the present indicative with one slight modification, i.e., the **s** is dropped from the second person singular of the first conjugation except before **y** and **en.** The imperative requires no subject pronoun.

2. Irregular:

avoir:	**aie, ayons, ayez**
être:	**sois, soyons, soyez**
savoir:	**sache, sachons, sachez**
vouloir:	**veuille, veuillons, veuillez**

The imperative forms of these four verbs are almost identical with those of their present subjunctive.

USE

The imperative is used to express a direct order or command.

4. FUTURE INDICATIVE

FORMATION

FIRST CONJ.	**parler**	
SECOND CONJ.	**finir**	**–ai, –as, –a, –ons, –ez, –ont**
THIRD CONJ.	**répondre** (e struck out)	

The future tense (*le futur*) is regularly formed by adding to the infinitive the forms of the present tense of the verb **avoir,** except that **avons** and **avez** lose the weak syllable **av.** In the third conjugation the final **e** of the infinitive is lost when the ending is added.

USE

1. To express the idea that the action will occur at some future time:

Nous lui **parlerons** de cela demain.	We shall speak to him about it tomorrow.

2. In a subordinate clause introduced by **quand, lorsque, aussitôt que, dès que, tant que,** or **comme** when futurity is implied by the main verb. In this case the French use the future where we use the present.

Lorsque Noël **viendra,** nous recevrons tous des cadeaux.	When Christmas *comes* we shall all receive gifts.
Vous ferez comme il vous **plaira.**	You will do as you *please.*

3. In the conclusion of a supposition introduced by **si** (*if*) followed by the present tense:

S'il fait mauvais, je **resterai** chez moi.	If the weather is bad, I'll stay home.

4. To indicate probability or conjecture:

Jacques ne vient pas au rendez-vous. Son père **sera** malade.	James is not keeping the appointment. His father must be ill.

SPECIAL CASES

1. Near future:

Je **vais** partir tout à l'heure.	I am going to leave soon.

Near future time is expressed by the present of **aller** plus the infinitive.

2. Probable future:

Il **doit** venir ce soir.	He is to come this evening.

Probable future time is expressed by the present of **devoir** plus the infinitive.

DAILY VERBS

avoir (*have*)	ayant	eu	ai	eus
aurai	avais	avoir eu		eusse
aurais				

PRES. IND.	ai, as, a, avons, avez, ont
PRES. SUBJ.	aie, aies, ait, ayons, ayez, aient
IMPER.	aie, ayons, ayez

être (*be*)	étant	été	suis	fus
serai serais	étais	avoir été		fusse

PRES. IND.	suis, es, est, sommes, êtes, sont
PRES. SUBJ.	sois, sois, soit, soyons, soyez, soient
IMPER.	sois, soyons, soyez

EXERCICES

I. Exercice sur les verbes «être» et «avoir»

Répétez les phrases suivantes en employant le sujet indiqué:

Tu as l'occasion de parler français. (Les enfants, nous, la jeune fille, vous, je)
Je suis en classe. (Vous, le garçon, les étudiants, tu, nous)
Nous aurons l'occasion de visiter la France. (Cet homme, les étudiantes, vous, tu, je)
Vous serez à l'Université. (Tu, le professeur, nous, ces dames, je)
Ces petites filles ont été à Paris. (Je, nous, cet Américain, tu, vous)
Nous avons eu des amis français. (Ces messieurs, je, tu, le visiteur, vous)

II. Exercices sur l'usage de l'infinitif

A. Répondez à la forme affirmative aux questions suivantes:
Exemple: Aimez-vous chanter? —Oui, j'aime chanter.

Comptez-vous partir pour la France?
Aimez-vous mieux rester ici?
Entendez-vous sonner?
Devez-vous sortir tout à l'heure?
Pensez-vous finir à temps?
Espérez-vous dormir cette nuit?

B. Ajoutez **de téléphoner** aux expressions données:
Exemple: Il s'agit . . . —Il s'agit de téléphoner.

Le directeur me demande . . .
Ma tante m'écrit . . .
Me permettez-vous . . .
Ils ont décidé . . .
Lui avez-vous dit . . .
Je vais essayer . . .

C. Ajouter **à parler français** aux expressions données:
Exemple: Il s'amuse . . . —Il s'amuse à parler français.

J'ai de la peine . . .
L'étudiant commence . . .
Hésitez-vous . . .
Nous apprenons . . .
Vous aurez plaisir . . .
Tu réussiras . . .

D. Ajoutez **étudier davantage** aux expressions données, avec ou sans préposition selon le verbe qui précède:
Exemples: Je veux . . . —Je veux étudier davantage.
—Il s'est mis . . . —Il s'est mis à étudier davantage.
—Ne craignez pas . . . —Ne craignez pas d'étudier davantage.

On me conseille . . .
Ma sœur préfère . . .
Ses parents le prient . . .
Aimera-t-il mieux . . .
Je commencerai . . .
Ils ont promis . . .
Devez-vous . . .
Elles désirent . . .
Essayez . . .
N'hésitez pas . . .

III. Exercices sur l'impératif

A. Dites à un ami d'accomplir les actions indiquées:
Exemple: Dites à un ami d'avoir du courage.
—Aie du courage!

Dites à un ami d'être en classe.
Dites à un ami de répondre à la question.
Dites à un ami de finir à l'heure.
Dites à un ami de savoir les verbes.
Dites à un ami de parler français.

B. Dites à plusieurs amis d'accomplir les actions indiquées:
Exemple: Dites à plusieurs amis d'avoir du courage.
—Ayez du courage!

Dites à plusieurs amis de vouloir attendre.
Dites à plusieurs amis de choisir un livre.

Dites à plusieurs amis de partir tout de suite.
Dites à plusieurs amis d'être tranquilles.
Dites à plusieurs amis d'étudier le français.

IV. Exercices sur le futur

A. Mettez les phrases suivantes au futur:

Exemple: Vous prenez votre parapluie quand il pleut.
—Vous prendrez votre parapluie quand il pleuvra.

Nous fermons la fenêtre dès qu'il sort.
Il ne part pas tant que son ami est là.
Ces gens marchent vite lorsqu'ils sont pressés.
Je mange quand j'ai faim.
Il nous invite à entrer aussitôt que nous arrivons.

B. Répétez les phrases suivantes en remplaçant **si** par **quand.** (Attention au temps du verbe):

Exemple: Vous prendrez votre parapluie s'il pleut.
—Vous prendrez votre parapluie quand il pleuvra.

Nous resterons à la maison si nous avons froid.
L'enfant fermera la porte s'il fait mauvais.
Il nous invitera à entrer s'il fait du vent.
Mangeras-tu du pain sec si tu as faim?
Je verrai mon ami s'il vient.

C. Mettez les phrases suivantes au futur proche:

Exemple: Tu liras la lettre. —Tu vas lire la lettre.

L'étudiant finira la leçon.
Nous partirons dans dix minutes.
Vous rentrerez avant onze heures.
J'écrirai une lettre cet après-midi.
Les professeurs donneront ces exercices.

THÈME

1. My friend Mr. Pohl advises me that he is to leave Washington next week.
2. I hope to be able to go to Washington before his departure, for I want very much to see him.
3. I am sure that the students will be pleased to make the acquaintance of these experts.
4. I hope that the meetings will be interesting.
5. At these meetings, the students will have an opportunity to speak French and to hear French spoken.
6. We will spend two weeks studying life at an American University.
7. We are delighted at the prospect of visiting your University.
8. Will you kindly excuse me now? I must go to meet these visitors from France.
9. Whenever I receive a letter, I try to answer (reply to) it without delay.
10. We shall be very happy to meet these students and to exchange ideas of common interest in the cultural domain.

FINISTERRE COUNTRYSIDE

unit 2

5. PAST PARTICIPLE
6. PRESENT PERFECT INDICATIVE
7. AGREEMENT OF THE PAST PARTICIPLE
8. PRESENT PARTICIPLE

DAILY VERBS: *venir*
savoir

Lettre de remerciements

Paris, le 17 Avril

Cher Monsieur,

Nous sommes de retour en France et déjà dispersés. M. Vanoye est retourné à Herbecourt dans la Somme; M. Barat a rejoint son poste à Orléans; M. Matagrin le sien à Annecy et moi, j'ai repris mon travail à Paris. 5

Au nom de mes camarades, je tiens à vous remercier encore une fois de l'excellente soirée que nous avons passée ensemble, en compagnie de vos amis et de vos élèves. Nous garderons, grâce à vous, un inoubliable souvenir de la légendaire hospitalité américaine. 10

Vous savez qu'après avoir quitté la Géorgie nous avons fait un court séjour dans le Minnesota. Nous avons trouvé à Saint Paul et à Clayton des amis qui, eux aussi, nous ont fait un accueil chaleureux. Puis, nous sommes revenus à Washington, après avoir visité Chicago
5 qui nous a paru une ville typiquement américaine. New-York nous a fait également une très forte impression.

Nous revenons enchantés de notre séjour aux États-Unis, connaissant mieux les Américains, appréciant leurs méthodes de travail, comprenant les raisons de la grandeur et de la puissance de votre patrie, amie
10 de toujours de la France. Puissent des échanges de ce genre se multiplier entre les pays !

Veuillez, je vous prie, nous rappeler au bon souvenir des professeurs et des élèves qui nous ont si aimablement accueillis et croire, cher Monsieur, à nos sentiments reconnaissants et dévoués.

P. Coquery

Ingénieur en chef des Services agricoles
Chargé de mission

CHOIX D'EXPRESSIONS

être de retour	to be back
je tiens à vous remercier	I want to thank you
puisse + *inf.*	may . . .

QUESTIONNAIRE

1. Qu'ont fait les quatre experts à leur retour en France ? 2. Pourquoi M. Coquery écrit-il à M. Bovée ? 3. De quoi les experts garderont-ils un souvenir inoubliable ? 4. Où ont-ils fait un séjour après avoir quitté la Géorgie ? 5. Quel accueil leurs amis leur ont-ils fait à Saint Paul et à Clayton ? 6. Que pensent les experts de la ville de Chicago ? 7. Quelle est la ville qui leur a fait une forte impression ? 8. Sont-ils contents de leur séjour aux États-Unis ? 9. Qu'apprécient-ils ? 10. Que comprennent-ils mieux ? 11. Que souhaitent-ils ? 12. Que demandent-ils au Professeur Bovée ?

MISE AU POINT GRAMMATICALE

5. PAST PARTICIPLE

EXPLANATION

The past participle (*le participe passé*) is so called because it is a past form of the verb which participates (*participe*) or partakes of the nature both of a verb and an adjective. It is an adjective in that it can modify a noun or pronoun. It is a verb in that it can indicate an action and have objects just like a verb.

FORMS

1. Regular:

	INFIN.	PAST PART.	ENDINGS
FIRST CONJ.	parler	**parlé**	**é**
SECOND CONJ.	finir	**fini**	**i**
THIRD CONJ.	répondre	**répondu**	**u**
-oir GROUP	recevoir	**reçu**	**u**

2. Irregular:

	INFIN.	PAST PART.	ENDINGS
	prendre	**pris**	**s**
	faire	**fait**	**t**

The regular endings of the past participle are **é, i,** and **u.** The irregular endings are **s** and **t.**

USE

1. As an adjective:

Nous revenons **enchantés** de notre voyage.	We return delighted with our trip.

Enchantés has the function of an adjective since it modifies the subject **nous.**

2. With **avoir:**

Nous **avons séjourné** quelques jours dans le Minnesota.	We spent a few days in Minnesota.

Avoir combined with the past participle is one way of forming the present perfect tense. (See § 6.)

3. With **être** to form the present perfect tense:

Nous **sommes revenus** à Washington.	We came back to Washington.

Être combined with the past participle is the other way of forming the present perfect tense. (See § 6.)

4. With **être** to form the passive voice:

Ce professeur **était respecté** de ses élèves.	This teacher was respected by his pupils.
Elle **a été tuée** par un voleur.	She was killed by a robber.

The passive expresses the idea that the subject has been affected or has "suffered" something through the action of the verb. In other cases, the English passive may be translated by **on** and an active verb[1]:

Ici **on parle** français.	French is spoken here.

6. PRESENT PERFECT INDICATIVE[2]

EXPLANATION

The present perfect tense (*le passé composé*) is used to assert that an action is now completed. The past action is viewed from the point of view of the present. This tense links the past with the present. For this reason it is generally used in ordinary conversation and informal writing to express a past completed action.

FORMATION

1. Conjugated with **avoir:**

	parler	finir	répondre	recevoir
j'ai **tu as** **il (elle) a** **nous avons** **vous avez** **ils (elles) ont**	**parlé**	**fini**	**répondu**	**reçu**

[1] See page 54 for use of the reflexive in this construction. [2] Also called the "Past Indefinite."

Avoir is used with the past participle to form the present perfect tense except for the verbs listed in the following groups in Section 2 and reflexive verbs.

2. Conjugated with **être:**

	rester	sortir	descendre
je suis	**resté(e)**	**sorti(e)**	**descendu(e)**
tu es	**resté(e)**	**sorti(e)**	**descendu(e)**
il (elle) est	**resté(e)**	**sorti(e)**	**descendu(e)**
nous sommes	**resté(e)s**	**sorti(e)s**	**descendu(e)s**
vous êtes	**resté(e)(s)**	**sorti(e)(s)**	**descendu(e)(s)**
ils (elles) sont	**resté(e)s**	**sorti(e)s**	**descendu(e)s**

In the present perfect tense the following verbs are conjugated with **être** instead of **avoir** as long as they are intransitive:

aller, *to go* (p.p. allé)
venir, *to come* (p.p. venu)
sortir, *to go out* (p.p. sorti)
entrer, *to enter* (p.p. entré)
tomber, *to fall* (p.p. tombé)
partir, *to depart* (p.p. parti)
arriver, *to arrive* (p.p. arrivé)
naître, *to be born* (p.p. né)
mourir, *to die* (p.p. mort)
rester, *to stay, to remain* (p.p. resté)
monter, *to climb* (p.p. monté)
descendre, *to descend* (p.p. descendu)
retourner, *to return, go back* (p.p. retourné)
revenir, *to return, come back* (p.p. revenu)
devenir, *to become* (p.p. devenu)

Any compounds of the above verbs require **être** as long as they are intransitive.

Avoir is used if the verb is used transitively[1]:

Elle **est descendue** à mon appel. — She came downstairs at my call.
Elle **a descendu** les marches avec précaution. — She came down the stairs cautiously.

7. AGREEMENT OF THE PAST PARTICIPLE

CONJUGATED WITH «AVOIR»:

Je viens vous remercier de l'excellente soirée que nous **avons passée** avec vous. — I want to thank you for the delightful evening we spent with you. (*Spent what?—The evening.*)

[1] A transitive verb is one that requires a direct object.

New-York nous **a** fortement **impressionnés.**	New York impressed us very much. (*Impressed whom?—Us.*)
Nos étudiants **ont** bien **accueilli** ces visiteurs de France.	Our students gave these French visitors a good welcome.

When conjugated with **avoir** the past participle agrees with the direct object, provided that this direct object precedes it in the sentence. This device aids clarity by indicating definitely to what the past participle refers.

CONJUGATED WITH «ÊTRE»:

Nous **sommes revenus** à Paris.	We came back to Paris.

When conjugated with **être** the past participle agrees with the subject just like an adjective. (See § 27.)

Elle est belle.	Elle est sortie.

This rule does not apply to the reflexive verb. (See § 19.)

8. PRESENT PARTICIPLE

EXPLANATION

The present participle (*le participe présent*) is so called because it partakes of the nature both of a verb and an adjective and is supposed to relate to the present.

FORMS

The present participle always ends in **ant.** Its stem is closely related to that of the first person plural of the present tense.

INFIN.	FIRST PERS. PL. PRES. IND.	PRES. PART.
prendre	prenons	**prenant**
écrire	écrivons	**écrivant**
faire	faisons	**faisant**

Here are three verbs, however, whose present participles do not show any such resemblance:

INFIN.	FIRST PERS. PL. PRES. IND.	PRES. PART.
avoir	avons	**ayant**
être	sommes	**étant**
savoir	savons	**sachant**

USE

1. The present participle may be used as a verbal adjective, in which case it agrees with the noun or pronoun it modifies.

de l'eau courante	running water

2. When the present participle indicates an action simultaneous to that of the main verb, it is invariable, i.e., it does not agree with the noun or pronoun. In this case, also, it has an adjectival force.

Nous revenons enchantés de notre voyage, **connaissant** mieux les Américains, **appréciant** leurs méthodes de travail.	We return delighted with our trip, knowing Americans better, appreciating their methods of work.
Nous avons vu la reine **allant** au château.	We saw the queen as she was going to the castle.

DAILY VERBS

venir (*come*)	venant	venu	viens	vins
viendrai	venais	être venu		vinsse
viendrais				

PRES. IND. viens, viens, vient, venons, venez, viennent
PRES. SUBJ. vienne, viennes, vienne, venions, veniez, viennent

(**contenir,** *contain;* **devenir,** *become;* **revenir,** *come back;* **se souvenir,** *remember;* **tenir,** *hold;* **retenir,** *detain;* **appartenir,** *belong;* **obtenir,** *obtain*)

savoir[1] (*know*)	sachant	su	sais	sus
saurai	savais	avoir su		susse
saurais				

PRES. IND. sais, sais, sait, savons, savez, savent
PRES. SUBJ. sache, saches, sache, sachions, sachiez, sachent
IMPER. sache, sachons, sachez

EXERCICES

I. Exercices sur les verbes

A. Répétez les phrases suivantes en remplaçant **je** par **vous:**

Je pars en voyage.
Je finis la leçon.
Je fais l'exercice.
Je viens en classe.
Je réponds à la question.
Je vais à la maison.

B. Mettez les phrases suivantes au futur:

Je sais le français.
Nous savons écrire.
Ces jeunes filles viennent vous remercier.
Vous venez en classe.
Ce garçon vient à la maison.
Vous savez répondre.

C. Mettez les phrases suivantes à l'imparfait:

Les étudiants ont des exercices.
Ils savent leur leçon.
Je viens à l'université.
Nous sommes à la maison.
Vous venez souvent.
Tu sais la réponse.

II. Exercices sur le participe passé

A. Mettez les phrases suivantes au féminin:

Exemple: Ce jeune homme est pris par ses études.
—Cette jeune fille est prise par ses études.

Cet élève vient d'être admis à l'université.
Cet étudiant est surpris de ses progrès.

[1] **Savoir** means *take mental possession of*, while **connaître** means *be acquainted with*. **Savoir** frequently has the meaning of *can* in the sense of *know how to* or *be able*, as: **Savez-vous nager?** *Can you (do you know how to) swim?* **Je ne saurais permettre cela.** *I couldn't (can't) allow that.*

Ce monsieur revient satisfait de son voyage.
Cet homme est mort de fatigue.
Ce petit garçon vient d'être conduit à l'école.

B. Répétez les phrases suivantes en remplaçant **tu** par **vous:**

Tu as été à la maison.
Tu as répondu à la lettre.
Tu as fait l'exercice.
Tu as eu une auto.
Tu as reçu des amis.
Tu as fumé une cigarette.

C. Dites au passé composé:

Beaucoup d'enfants naissent en Amérique.
Nous allons à l'école.
Le professeur part pour la France.
Les jeunes filles sortent de la maison.
Nous montons au premier étage.
La dame descend de l'auto.
Elle meurt de faim.
Les étudiants viennent en classe.
Nous arrivons à New-York.
Nous revenons de Paris.
L'enfant tombe dans la rue.
Ils restent en Europe.

D. Mettez les phrases suivantes au passé composé:

Exemple: Voici la lettre que j'écris.
—Voici la lettre que j'ai écrite.

Voici la dictée que vous faites.
Voici la phrase qu'elle dit.
Voici la cigarette que vous prenez.
Voici la porte que tu ouvres.
Voici l'auto que je conduis.
Voici les robes qu'elles mettent.

III. Exercice sur le participe présent

Remplacez **qui** et le verbe par un participe présent:

Exemple: Je regarde l'étudiant qui écrit sa dictée.
—Je regarde l'étudiant écrivant sa dictée.

Je regarde l'élève qui fait l'exercice.
Je regarde les enfants qui vont à l'école.
Je regarde cette femme qui revient à la maison.
Je regarde ces sportifs qui savent bien jouer.
Je regarde le professeur qui tient son livre.

IV. **Exercice sur la forme passive**

Mettez les phrases suivantes à la forme passive:

Exemple: Le professeur interroge les étudiants.
—Les étudiants sont interrogés par le professeur.

Les élèves font les exercices.
La dame ouvrira la porte.
Les experts visitent l'université.
L'étudiante lisait les journaux.
Le professeur a organisé la réunion.

THÈME

1. The French teacher received a letter written by Mr. Pohl announcing his visit.
2. They stayed a week in New York. After that they left for Washington.
3. The city impressed them greatly.
4. They returned to France, delighted with the visit.
5. The students who traveled in France this summer are back in America and already dispersed.
6. They came back knowing the French people better, appreciating their culture, and understanding the spirit of France.
7. The most memorable thing will always be the week that they spent in Paris.
8. We want to thank him for the delightful evening we spent with him.
9. May cultural missions between France and America become more numerous.
10. Please be good enough to give my greetings to our French teacher when you see him.

EVOCATION
VIEUX PARIS
Tirez

BUY MY RADISHES! (LES HALLES)

unit 3

9. "DEPUIS" + PRESENT INDICATIVE
10. PRESENT CONDITIONAL
11. GERUND

DAILY VERBS: *faire*
vouloir

Robert Martin sera le bienvenu

Paris, le 12 Juin

Cher Monsieur,

J'attends avec impatience M. Robert Martin, votre jeune élève. Je forme déjà des projets pour rendre son séjour en France aussi attrayant que profitable. Je voudrais qu'il vous revienne marqué de l'esprit 5 français. Rien de plus facile, semble-t-il: Paris n'est-il pas le foyer où, depuis le Moyen Age, se forment tant d'étudiants venus de tous les pays? La Sorbonne n'est-elle pas, au dire d'un étranger, le four où se cuit le pain intellectuel du monde entier? Et les provinces françaises ne sont-elles pas également riches de leur passé artistique et culturel et 10 de leur activité présente? Paris et la province: voilà la France que M. Martin devrait connaître pour la comprendre et pour l'aimer.

Ce jeune homme trouvera à la Cité Universitaire, dans un cadre de verdure, une ambiance de jeunesse qui lui rappellera celle des universités américaines. La vie lui semblera facile dans un de ces confortables pavillons, près des pelouses verdoyantes et des grands arbres du Parc Montsouris. Il ne se sentirait pas aussi dépaysé que s'il devait vivre dans le Quartier latin.

Il choisira des groupes de jeunes auxquels il se joindra pour faire du sport et pour se distraire. Il aura aussi, je le souhaite, de bons camarades et quelques vrais amis.

J'espère que votre jeune élève participera volontiers à la vie estudiantine si caractéristique du Quartier latin. Tout sera pour lui une occasion de se perfectionner dans notre langue: les cours à la Sorbonne, la fréquentation des bibliothèques, la lecture des revues et des journaux, les spectacles et même les discussions littéraires, artistiques, politiques et religieuses si vives entre jeunes gens.

Je me ferai un plaisir de lui donner le goût de nos musées et de nos expositions d'art. Il est des étrangers qui, comme les vrais Parisiens, connaissent l'histoire de nos monuments et apprécient leur beauté.

Mais, celui qui ne connaît pas les Français qui travaillent, ne connaît pas la France. Il faut se lever tôt pour surprendre la vie trépidante du centre de Paris. Il faut descendre l'étroite rue Mouffetard quand les marchandes de fruits et de légumes poussent leurs cris à l'adresse des ménagères. Il faut parler aux ébénistes d'art du Faubourg Saint-Antoine, aux ouvriers des usines de banlieue, aux commerçants des petites villes et des villages, aux artisans ruraux, aux cultivateurs, pour comprendre la mentalité du Français, son amour pour le travail bien fait, son esprit frondeur.

Si M. Martin pouvait faire ces visites, elles lui donneraient l'occasion d'apprécier l'hospitalité française.

Tel est le programme que je vous propose, avec l'espoir que votre élève réalisera ce vœu qui vous est cher: visiter la France, et connaître les Français en vivant comme eux pour les mieux comprendre et les apprécier.

Veuillez agréer, cher Monsieur, l'expression de mes sentiments très distingués.

P. Coquery

CHOIX D'EXPRESSIONS

donner l'occasion de + *inf.*	to offer the opportunity of
faire du sport	to take part in (go out for) sports
se faire un plaisir de + *inf.*	to be glad to
former des projets pour + *inf.*	to make plans to
au dire de . . .	according to what . . . says
il est des	there are

QUESTIONNAIRE

1. Qui M. Coquery attend-il avec impatience? 2. Quels projets forme-t-il? 3. Qu'est la Sorbonne au dire d'un étranger? 4. De quoi les provinces françaises sont-elles riches? 5. Que devra connaître M. Martin pour comprendre la France? 6. Que trouvera le jeune homme à la Cité Universitaire? 7. Pourquoi se joindra-t-il à des groupes de jeunes? 8. A quoi participera-t-il? 9. Qu'est-ce qui sera pour lui une occasion de se perfectionner en français? 10. De quoi M. Coquery lui donnera-t-il le goût? 11. A qui Robert Martin devra-t-il parler pour connaître la France? 12. Comment le jeune élève réalisera-t-il le vœu de son professeur?

MISE AU POINT GRAMMATICALE

9. PRESENT TENSE

With *depuis* or *il y a* / *voilà* . . . *que*

Paris n'est-il pas le foyer où, **depuis** le Moyen Age, **se forment** tant d'étudiants . . . ?	Isn't Paris the center where, ever since the Middle Ages, so many students have been receiving intellectual training . . . (*and still are*)?
Le train est en retard. Nous l'**attendons depuis** un quart d'heure.	The train is late. We have been waiting for it for a quarter of an hour (*and still are*).
Il y a (**Voilà**) un quart d'heure **que** nous l'**attendons.**	We have been waiting for it for a quarter of an hour.

An action or state that began in the past and is still continuing in the present is expressed in French by the present tense with **depuis** or **il y a (voilà) . . . que.** In English the present perfect tense is used.

10. PRESENT CONDITIONAL

FORMATION

1. Regular verbs:

parler
finir } **–ais, –ais, –ait, –ions, –iez, –aient**
attendr~~e~~

The present conditional (*le conditionnel présent*) is formed by adding **–ais, –ais, –ait, –ions, –iez, –aient** to the infinitive. Final **e** of the third conjugation is dropped.

2. Irregular verbs:

INFIN.	FUTURE	CONDITIONAL
être	je serai	je **ser–ais**
falloir	il faudra	il **faudr–ait**

To the stem of the irregular future, add the regular conditional endings.

USE

1. To soften a statement, i.e., make a modest assertion:

Je **voudrais** qu'il vous revienne . . .	I should like him to return to you . . .

2. To relate the future to the past:

M. Coquery a répondu (répondit) qu'il **serait** enchanté d'aider Robert Martin.	Mr. Coquery replied that he would be delighted to help Robert Martin.
J'étais sûr que M. Coquery y **consentirait.**	I was sure that Mr. Coquery would consent to it.
M. Coquery avait dit qu'il m'**écrirait** dès son retour à Paris.	Mr. Coquery had said that he would write me as soon as he returned to Paris.

When the main verb is in the present perfect, past definite, imperfect, or pluperfect, the verb of the subordinate clause is in the present conditional, to express the idea of futurity.

3. To express an action subordinate to a supposition or a condition:

S'il y avait encore une guerre, ce **serait** la fin du monde.	If there should be another war, it would be the end of the world.
Si Robert était là, nous **évoquerions** des souvenirs.	If Robert were here, we would talk about old times.

In the preceding examples the conditional expresses a conclusion while the clause introduced by **si** (*if*) presents an event either supposed or contrary to reality.

4. To suggest a possibility or possible explanation:

Il ne remue plus; on **dirait** qu'il est mort.	He doesn't stir; it looks as if he is dead.

11. GERUND

FORMATION

INFIN.	FIRST PERS. PL. PRES. TENSE	GERUND
dire	nous disons	en disant
faire	nous faisons	en faisant

In French the present participle and the gerund (*le gérondif*) are identical in formation although they are of different origin and are used differently. (See § 8)

USE

Connaître les Français **en vivant** comme eux . . .	To become acquainted with the French people by living as they do . . .

The only use of the gerund in modern French is after the preposition **en.** This construction indicates that the subject of the sentence performs two actions simultaneously. The action expressed by the gerund is subordinate to that of the main verb, which it modifies. **En** + the gerund may express condition, situation, or manner. To express these ideas **en** may mean *while, by, on, in, upon.* **En** is the only preposition NOT FOLLOWED BY THE INFINITIVE.

DAILY VERBS

faire (*do, make*)	faisant	fait	fais	fis
ferai	faisais	avoir fait		fisse
ferais				

PRES. IND. fais, fais, fait, faisons, faites, font
PRES. SUBJ. fasse, fasses, fasse, fassions, fassiez, fassent

(**satisfaire,** *satisfy*)

vouloir (*wish*)	voulant	voulu	veux	voulus
voudrai	voulais	avoir voulu		voulusse
voudrais				

PRES. IND. veux, veux, veut, voulons, voulez, veulent
PRES. SUBJ. veuille, veuilles, veuille, voulions, vouliez, veuillent
IMPER. veuille, veuillons, veuillez

EXERCICES

I. Exercices sur les verbes «faire» et «vouloir»

A. Répétez les phrases suivantes en employant le sujet indiqué:

Vous faites ce travail. (Tu, les étudiants, nous, le professeur, je)
Les experts feront un voyage. (Ma mère, je, tu, nous, vous)
Nous faisions une promenade. (Les enfants, la vieille dame, je, vous, tu)
La jeune fille a fait des exercices. (Je, les étudiantes, tu, nous, vous)
Je veux connaître Paris. (Vous, tu, nous, ce garçon, ces élèves)
Tu voudras parler français. (Je, nous, vous, les dames, ce monsieur)
Vous avez voulu voyager. (Mon frère, les jeunes gens, tu, je, nous)
Nous voulions sortir. (Tu, la petite fille, ces messieurs, je, vous)

B. Introduisez l'impératif dans les phrases suivantes:

Exemple: Dites à des amis de finir à deux heures.
—Finissez à deux heures.

Dites à des amis de vouloir attendre une minute.
Dites à des amis de faire le tour des États-Unis.

Dites à des amis de faire avec vous un voyage en France.
Dites à un ami de faire attention.

II. Exercices sur «depuis»

A. Mettez **depuis** à la place de **voilà que:**

Exemple: Voilà trois semaines que je suis à Paris.
—Je suis à Paris depuis trois semaines.

Voilà trois heures que nous écrivons.
Voilà deux jours que nous attendons.
Voilà une heure que nous parlons français.
Voilà un quart d'heure que nous appelons.

B. Mettez **Il y a . . . que** à la place de **depuis:**

Exemple: Nous faisons des exercices depuis trois heures.
—Il y a trois heures que nous faisons des exercices.

Vous étudiez le français depuis deux ans.
Ce professeur enseigne depuis vingt-cinq ans.
Nous sommes en vacances depuis cinq semaines.
Les étudiants sont sortis de la classe depuis deux heures.

III. Exercices sur le conditionnel

A. Répondez aux questions suivantes à la forme affirmative:

Exemple: Voudriez-vous savoir le français?
—Oui, je voudrais savoir le français.

Aimeriez-vous visiter Paris?
Seriez-vous heureux d'avoir des amis français?
Désireriez-vous connaître la France?
Auriez-vous envie de lire des livres français?

B. Mettez les phrases suivantes à l'imparfait et au conditionnel présent:

Exemple: Je suis sûr que vous viendrez.
—J'étais sûr que vous viendriez.

Je suis sûr que vous m'écrirez souvent.
Je suis sûr que vous ferez un beau voyage.
Je suis sûr que vous aurez des nouvelles.
Je suis sûr que vous passerez de bonnes vacances.
Je suis sûr que vous répondrez bien.

C. Mettez les phrases suivantes au conditionnel:

Exemple: Voulez-vous me donner ce livre?
—Voudriez-vous me donner ce livre?

Voulez-vous fermer la porte?
Voulez-vous sortir avec moi?
Voulez-vous répondre à la question?
Pouvez-vous me passer le pain?
Pouvez-vous faire ce travail?

D. Dans les phrases suivantes mettez le verbe qui est au futur au conditionnel présent; remplacez **répond** par **a répondu:**

Exemple: Le directeur répond qu'il me recevra.
—Le directeur a répondu qu'il me recevrait.

Le directeur répond qu'il écrira la lettre.
Le directeur répond qu'il finira le travail seul.
Le directeur répond qu'il fera ce voyage.
Le directeur répond qu'il donnera sa réponse.

E. Transformez les phrases suivantes en mettant le verbe qui est au présent à l'imparfait et l'infinitif au conditionnel présent:

Exemple: Vous n'avez pas le temps d'écrire des lettres.
—Si vous aviez le temps, vous écririez des lettres.

Je n'ai pas le temps de lire les journaux français.
Elles n'ont pas le temps de visiter la France.
Nous n'avons pas le temps de recevoir des amis.
Tu n'es pas riche pour faire des voyages.
Tu n'es pas riche pour aller à Paris.

F. Mettez les phrases suivantes à l'imparfait et au conditionnel présent:

Exemple: Si je suis libre, j'irai au cinéma.
—Si j'étais libre, j'irais au cinéma.

Si elles sont malades, elles n'iront pas danser.
Si vous êtes en France, vous visiterez Paris.
Si nous avons une radio, nous écouterons les nouvelles.
Si les enfants viennent à la maison, ils regarderont la télévision.
Si tu comprends le français, tu liras beaucoup de livres.

IV. Exercice sur le gérondif

Mettez la phrase commençant par **et** au gérondif:

Exemple: Je parle et je regarde le professeur.
—Je parle en regardant le professeur.

Nous fumons et nous lisons.
Les enfants boivent et ils mangent.
Vous voyagerez et vous visiterez des villes intéressantes.
J'apprendrai le français et j'étudierai.
Le garçon prenait ses livres et il partait.
Tu allumais la lampe et tu entrais.

THÈME

1. For how long have you been making plans to (go) spend a year in France?
2. I have had this project in mind for three years.
3. He has been studying French for a long time and will continue to (à) study it in Paris.
4. If Robert studied hard, he would be able to speak French well at the end of the year.
5. As soon as Robert reaches Paris, he will visit Mr. Coquery.
6. By following the program proposed by Mr. Coquery, Robert will become acquainted with France and the French people.
7. For several days, Mr. Coquery has been waiting for the arrival of Robert Martin.
8. Mr. Coquery would like to see Robert become a real Parisian.
9. If he often went to the Comédie-Française, he would hear the beautiful diction of its artists.
10. He who does not know the French at work just does not know France.

PARIS: GARE DE LYON

unit 4

12. IMPERFECT INDICATIVE
13. "DEPUIS" + IMPERFECT
14. PLUPERFECT INDICATIVE
15. PERFECT CONDITIONAL
16. CONDITIONS—SUMMARY

DAILY VERBS: *aller*
dire
croire
Special group with
avoir

La traversée et l'arrivée à Paris

Cher Maître,

Je vous écris du Pavillon Franco-Britannique de la Cité Universitaire. C'est là où je suis actuellement installé après une agréable traversée.

Inutile de vous dire que j'ai hâte de partir à la découverte de cette grande ville de Paris et d'y admirer les merveilles dont vous m'avez parlé. Je tiens, cependant, à vous raconter l'épisode trop court, à mon gré, de notre traversée sur le *France*.

Le temps était magnifique. La mer était calme. J'étais très confortablement installé dans une cabine touriste avec de charmants compagnons de voyage. Tous les jours, après avoir pris notre petit déjeuner, nous allions nous promener sur le pont. Nous passions la matinée à d'interminables parties de tennis et de boules. L'après-midi, après le déjeuner, nous allions, soit à la piscine, soit le plus souvent au cinéma où j'essayais de m'accoutumer à la prononciation des artistes français. Je n'ose pas trop insister sur les résultats. J'avoue que je suis encore loin de tout comprendre. Si j'avais su ce qui m'attendait ici, j'aurais travaillé mon français encore plus sérieusement. J'espère, cependant, que tout ira mieux dans quelques semaines.

5 Sur le bateau, j'ai eu la chance de faire la connaissance d'une charmante Française avec qui je dansais chaque soir et que j'espère bien revoir à la Faculté. Cette jeune fille qui venait de passer une année à l'Université de Chicago a eu la gentillesse de me donner de nombreuses adresses qui pourraient m'être utiles à Paris. Elle m'a aidé 10 à me débrouiller, lorsque nous avons débarqué au Havre, et je suis bien content de l'avoir rencontrée. Les douaniers se sont montrés très aimables avec les étudiants.

A notre arrivée à la gare Saint-Lazare, je me sentais pourtant complètement dépaysé.

15 J'aurais dû vous écouter et emporter ce plan de Paris que vous m'aviez si aimablement proposé. Malgré tout, je m'en suis assez bien tiré. Je suis arrivé à la Cité Universitaire, à l'heure du déjeuner. J'ai été agréablement surpris par l'aimable accueil des étudiants.

Vous aviez raison de me dire que cette année allait être enrichissante. 20 Je me suis déjà rendu compte à quel point j'avais bien fait de suivre vos excellents conseils et d'arriver en France le premier août, car, ainsi, j'aurai bien le temps de m'orienter avant la rentrée des classes à la Sorbonne.

Veuillez m'excuser de vous quitter, maintenant, mais quelques-uns 25 de mes nouveaux camarades m'attendent pour aller faire un tour au Quartier latin que l'on appelle le «Cerveau de Paris».

En vous remerciant de ce que vous avez fait pour moi, je vous prie d'agréer, cher Maître, l'assurance de mes sentiments respectueux.

Robert Martin

CHOIX D'EXPRESSIONS

à mon gré	to my liking, taste, in my opinion
avoir la chance de + *inf.*	to have the good fortune of
avoir la gentillesse de + *inf.*	to be kind enough to
avoir hâte de + *inf.*	to be in a hurry to
avoir raison (de)	to be right
faire bien de + *inf.*	to do well to, be right in
faire un tour	to take a stroll
se rendre compte	to realize
suivre des conseils	to take advice
s'en tirer; se tirer d'affaire	to get along, manage

QUESTIONNAIRE

1. D'où Robert Martin écrit-il à son professeur? 2. Qu'a-t-il hâte de faire? 3. Que tient-il à raconter? 4. Que faisait-il sur le bateau le matin? 5. Où allait-il l'après-midi? 6. De qui a-t-il fait la connaissance? 7. Que lui a donné la jeune fille? 8. Comment se sont montrés les douaniers? 9. Comment Robert Martin s'est-il senti à son arrivée à Paris? 10. Qu'aurait-il dû emporter? 11. Pourquoi a-t-il bien fait d'arriver en France le premier août? 12. Où doit-il aller avec ses nouveaux amis?

MISE AU POINT GRAMMATICALE

12. IMPERFECT INDICATIVE

FORMATION

PRES. IND. 1ST PERSON PLURAL	STEM	IMPERFECT ENDINGS
(nous) racontons	**racont**	**–ais, –ais, –ait,**
(nous) finissons	**finiss**	**–ions, –iez, –aient**
(nous) faisons	**fais**	

The imperfect tense (*l'imparfait*) is formed by removing "*ons*" from the 1st person plural of the present indicative and adding the regular endings.
One verb is an exception:

être J'étais, etc. . . .

USE

1. Description:

La mer **était** calme.	The sea was calm.

2. Repetition:

Tous les jours nous **allions** nous promener sur le pont.	Every day we used to walk the deck.

3. Progressive action:

Le professeur **travaillait** lorsque la lettre de Robert est arrivée.	The professor was working when Robert's letter arrived.

The imperfect tense describes a condition as it appeared in the past or an action that was progressive, habitual, or repeated. It does not assert that the action was complete at a definite past time.

4. In the **si-**clause of some conditional sentences:[1]

S'il faisait beau, nous irions à la campagne.	If it were nice weather, we would go to the country.

13. IMPERFECT TENSE

With *depuis* or *il y a* / *voilà* . . . *que*

Robert **était** à Paris **depuis** trois jours quand il a écrit cette lettre.	Robert had been in Paris three days when he wrote this letter.

An action or state that began in the past and continued up to a certain time in the past, expressed in English by the pluperfect, is expressed in French by the imperfect with **depuis** or **il y avait** (**voilà**) **. . . que.**

14. PLUPERFECT INDICATIVE

FORMATION

j'avais, etc. / **j'étais,** etc. } + past participle (**–é, –i, –u, –s, –t**) (ENDINGS)

The pluperfect tense (*le plus-que-parfait*) is formed by using the imperfect of **avoir** or **être** with the past participle of the verb.

[1] See § 16 on page 40.

USE

Robert a su se tirer d'affaire à Paris parce qu'il **avait** bien **travaillé** son français avant de partir.	Robert was able to get along in Paris because he had worked hard at his French before leaving.

The pluperfect asserts that an action was completed previous to another past action. It is two steps into the past.

15. PERFECT CONDITIONAL

FORMATION

j'aurais, etc. / **je serais,** etc. } + past participle (ENDINGS: **–é, –i, –u, –s, –t**)

The perfect conditional tense (*le conditionnel passé*) is formed by using the conditional of **avoir** or **être** with the past participle of the verb.

USE

1. Si j'avais su, j'**aurais travaillé** mon français plus sérieusement.	If I had known, I would have worked harder at my French.

A contrary-to-fact condition referring to past time requires the pluperfect in the **si** (*if*) clause and the perfect conditional in the conclusion.

2. L'Homme au Masque de Fer **aurait-il été** un frère jumeau de Louis XIV?	Could the Man with the Iron Mask have possibly been a twin brother of Louis XIV?

The perfect conditional is very frequent in present French style. It implies a conjecture or a rumor.

16. SUMMARY OF CONDITIONS

Condition relative to the future:

S'il n'y **a** plus de guerres, le monde **sera** plus heureux.	If there are no more wars, the world will be happier.

In a condition relating to the future, the verb after **si** (*if*) is put in the present, while the verb of the conclusion is put in the future.

Future condition relating to the past:

Il a dit qu'il **viendrait** demain s'il **était** en ville.	He said he would come tomorrow if he were in town.

When a future condition relates to the past, then the verb after **si** (*if*) is put in the imperfect while the verb of the conclusion is put in the conditional.

A present contrary-to-fact condition:

Si j'**étais** riche, je **ferais** le tour du monde.	If I were rich, I would go around the world.

A contrary-to-fact condition referring to the present time requires the imperfect in the **si**-clause and the conditional in the conclusion.

Condition contrary to fact relating to past time:

Si je vous **avais écouté,** j'**aurais emporté** ce plan de Paris que vous m'aviez proposé.	If I had listened to you, I would have brought along that map of Paris that you suggested to me.

In a contrary-to-fact condition relating to the past, the verb of the condition [**si**] is put in the pluperfect, while the verb of the conclusion is put in the perfect conditional.

DAILY VERBS

aller (*go*)	allant	allé	vais	allai
irai	allais	être allé		allasse
irais				

PRES. IND. vais, vas, va, allons, allez, vont
PRES. SUBJ. aille, ailles, aille, allions, alliez, aillent

dire (*say, tell*)	disant	dit	dis	dis
dirai	disais	avoir dit		disse
dirais				

PRES. IND. dis, dis, dit, disons, dites, disent
PRES. SUBJ. dise, dises, dise, disions, disiez, disent

croire (*believe*)	croyant	cru	crois	crus
croirai	croyais	avoir cru		crusse
croirais				

PRES. IND. crois, crois, croit, croyons, croyez, croient
PRES. SUBJ. croie, croies, croie, croyions, croyiez, croient

Avoir
GROUPE PARTICULIER

avoir chaud	to be warm
avoir froid	to be cold
avoir faim	to be hungry
avoir hâte (de)	to be in a hurry
avoir soif	to be thirsty
avoir sommeil	to be sleepy
avoir raison (de)	to be right
avoir tort (de)	to be wrong
avoir peur (de)	to be afraid
avoir honte (de)	to be ashamed
avoir besoin (de)	to need
avoir envie (de)	to feel like

EXERCICES

I. Exercices sur les verbes: «aller, dire, croire»

A. Répétez les phrases suivantes en employant les sujets indiqués:

Je vais à l'école. (Vous, nous, le professeur, tu, les étudiants)
Tu dis «bonjour». (Nous, les enfants, la jeune fille, vous, je)
Vous croyez en Dieu. (Les hommes, nous, le pasteur, tu, je)
J'allais au cinéma. (Nous, tu, la classe, les jeunes gens, vous)
Tu croyais bien faire. (Vous, je, nous, les élèves, votre sœur)
Les voyageurs disaient «au revoir». (Tu, nous, je, vous, l'élève)

B. Répétez les phrases suivantes en mettant le sujet au pluriel:

J'irai au théâtre.
Tu iras au concert.
Il ira dans le jardin.
Tu croiras la nouvelle.
Je croirai mon ami.
L'enfant dira bonsoir.
Je dirai merci.
Tu diras ton nom.
Le journaliste croira ce qu'on dira.

C. Mettez les phrases suivantes au singulier:

Les visiteurs ont dit «bonne nuit».
Nous avons dit la vérité.
Vous avez dit «bon voyage».
Les vieilles dames sont allées à l'église.
Vous avez cru au progrès.
Nous avons cru au succès.
Les experts ont cru cela.
Vous êtes allés à l'Université.
Nous sommes allés à la maison.

II. Exercices sur l'imparfait

A. Mettez les phrases suivantes à l'imparfait:

1. Le ciel est bleu, le soleil brille . . . Il fait beau . . . Les arbres ont des feuilles vertes et des fleurs . . . C'est le printemps.
2. Tous les jours, nous finissons la classe à cinq heures.
   Toutes les semaines, tu reçois des amis.
   En été, les étudiants partent en vacances.
   Le dimanche, je vais à l'église.
3. Les élèves écoutent quand le professeur parle.
   Vous dormez pendant que nous nous promenons.
   Ma sœur joue pendant que je fais mes exercices.
   J'achète le journal quand je sors.

B. Dans les phrases suivantes, mettez le premier verbe à l'imparfait et le second au passé composé:

Exemple: Nous sommes en classe quand le professeur entre.
—Nous étions en classe quand le professeur est entré.

Tu dors quand le téléphone sonne.
Nous déjeunons quand tu arrives.
Ma mère lit quand mon père rentre.
J'écris quand on m'appelle.
Les étudiants lisent quand le professeur part.

III. Exercice sur «depuis»

Remplacez **il y avait . . . que** par **depuis**:

Exemple: Il y avait trois jours que j'étais à Paris.
—J'étais à Paris depuis trois jours.

Il y avait deux semaines que tu étais arrivé.
Il y avait deux heures que nous marchions.
Il y avait six mois que vous alliez à l'Université.
Il y avait trois ans que vous étudiez le français.

IV. Exercices sur le plus-que-parfait

A. Mettez le premier verbe au plus-que-parfait, le deuxième à l'imparfait:

Exemple: Quand le professeur a fini la classe, il sort.
—Quand le professeur avait fini la classe, il sortait.

Quand j'ai lu le journal, je sors.
Lorsque nous avons fini notre travail, nous sortons.
Dès que la cloche a sonné, les étudiants sortent.
Aussitôt que vous ouvrez la porte, vous sortez.
Dès que tu as dîné, tu sors.

B. Dans les phrases suivantes, mettez le deuxième verbe au plus-que-parfait:

Exemple: J'ai reconnu cette dame parce que je l'ai vue.
—J'ai reconnu cette dame parce que je l'avais vue.

Nous sommes sortis de la classe parce que le professeur a fini la leçon.
J'ai ouvert la porte parce qu'on a sonné.
Vous avez lu ce livre parce que vous l'avez acheté.
Les experts sont venus parce que nous les avons invités.
Tu as répondu à la question parce que tu l'as comprise.

V. Exercices sur le conditionnel

A. Mettez le premier verbe après **si** à l'imparfait, le deuxième au conditionnel présent:

Exemple: Si j'ai sommeil, je dormirai.
—Si j'avais sommeil, je dormirais.

Si les enfants ont faim, ils mangeront.
Si tu as soif, tu boiras.
Si nous avons chaud, nous ouvrirons la fenêtre.
Si vous avez froid, vous fermerez la porte.

B. Mettez le premier verbe au plus-que-parfait, le deuxième au conditionnel passé:

Exemple: Si j'avais de l'argent, je voyagerais.
—Si j'avais eu de l'argent, j'aurais voyagé.

Si vous aviez le temps, vous sortiriez.
Si nous étudiions les verbes, nous les saurions.
Si tu visitais la France, tu la connaîtrais.
S'il pleuvait, il resterait à la maison.

THÈME

1. Robert used to read all the books about Paris he could find.
2. To visit Paris was a dream.
3. I should have liked to study at the Sorbonne when I was a student.
4. Thanks to his uncle, Robert is at the present time installed at the Pavillon Franco-Britannique.
5. The crossing was wonderful. The weather was beautiful and the food excellent.
6. Robert was fortunate enough to meet many charming traveling companions.
7. In the morning they used to walk on the deck.
8. In the evening, Robert used to dance with a charming Parisian.
9. If Robert had known sooner that he was going to spend a year in France, he would have worked harder at his French.
10. Naturally, he is in a hurry to take a stroll in the beautiful city of Paris.

TREASURES ALONG THE SEINE

unit 5

17. SUBJUNCTIVE
18. REFLEXIVE VERBS
19. AGREEMENT OF PAST PARTICIPLE

DAILY VERBS: *pouvoir*
falloir
devoir

Le dîner chez M. Coquery

Robert Martin a été invité à dîner par les Coquery.

(*Notre jeune étudiant vient d'arriver chez M. Coquery. Il sonne à la porte. La domestique vient ouvrir.*)
—Bonsoir, Mademoiselle.
—Monsieur désire? 5
—Pourrais-je voir M. Coquery?
—De la part de qui?
—Robert Martin.
—Monsieur veut-il se donner la peine d'entrer? Je vais avertir M. Coquery. 10
(*M. Coquery arrive et donne une poignée de main à Robert que la domestique a fait entrer au salon.*)
M. COQUERY. Comment allez-vous, mon jeune ami? Mais, asseyez-vous donc, je vous prie. J'espère que vous n'avez pas eu trop de mal à trouver notre maison et que vous ne vous êtes pas perdu dans notre 15

grande ville. Je sais combien nos lignes de métro et d'autobus sont compliquées.

ROBERT. Perdu? Pas précisément, mais j'aurais voulu que vous me voyiez à la correspondance de la station Denfert-Rochereau. J'ai
5 constaté qu'il était aussi difficile de s'orienter dans le métro parisien que dans celui de New-York. J'ai perdu là de précieuses minutes. Veuillez excuser mon retard.

M. COQUERY. Je vous en prie. Mais, parlez-moi un peu de vous. Racontez-moi vos premières impressions de Paris.

10 ROBERT. Tout va très bien. Je vous assure que je n'ai jamais fait tant de choses en si peu de temps. Me voilà, maintenant, bien installé à la Cité Universitaire. Je n'ai plus qu'à me familiariser tout à fait avec la vie de Paris et profiter au mieux des quelques semaines de liberté qui me restent avant de m'inscrire à la Sorbonne.

15 M. COQUERY. Parfait. Je souhaite que vous puissiez, à la fois, faire de bonnes études et vous distraire. Mais, voilà ma femme. Chérie, je te présente notre jeune étudiant américain, M. Robert Martin, qui sera parisien cette année.

MADAME COQUERY. Je suis très heureuse de vous connaître, Monsieur,
20 car mon mari m'a beaucoup parlé de vous.

ROBERT. Mes hommages, Madame.

MADAME COQUERY. Je suis navrée que mon fils Pierre ne soit pas là, ce soir, mais il a dû s'absenter pour une réunion importante et ne rentrera que très tard. Maintenant, passons à table.

25 ROBERT. Très volontiers, Madame.

M. COQUERY. Jeune homme, croyez-vous que je puisse vous servir quelques-uns de nos fameux vins de France ou aimeriez-vous mieux quelques grands verres de lait?

MADAME COQUERY. Mon ami, M. Martin est maintenant un Parisien
30 qui se doit de connaître les secrets de la vie quotidienne et nos vins de Bourgogne et de Bordeaux font partie de ce mystère.

ROBERT. Je suis ravi que vous preniez ma défense, Madame, car j'avoue que l'idée d'un verre de lait ne m'enchante guère.

(*Après le dîner, Mr. Coquery montre son cabinet de travail à Robert Martin qui*
35 *s'extasie devant la riche bibliothèque de son hôte.*)

ROBERT. Croyez-vous qu'il soit encore possible de trouver une aussi vieille édition des œuvres complètes de vos classiques? Celle-ci est magnifique et la reliure est très artistique.

M. COQUERY. Pour que vous puissiez dénicher de tels livres, il
40 faudrait que vous alliez flâner, un jour, le long des quais de la Seine où les bouquinistes vendent de vieilles éditions à des prix quelquefois étonnants. Il se peut que vous y trouviez des volumes semblables à ceux-ci.

ROBERT. Il faudra certainement que j'y aille.

M. COQUERY. A propos, j'ai pensé à votre emploi du temps avant la rentrée des classes. Vous devriez aller à Lourdes dans le sud-ouest de la France. Le pèlerinage du 15 août, à l'occasion de la fête de l'Assomption, attire toujours une foule immense et vous laissera 5 d'inoubliables souvenirs. Vous pourrez aussi pendant ce voyage, visiter de très jolis coins de France où l'histoire a laissé des empreintes profondes.

ROBERT. C'est une excellente idée qu'il me sera très facile de mettre à exécution, car mes cours ne commencent pas avant le début de 10 novembre.

Les Coquery et Robert prennent le café au salon. Après une heure de conversation, le jeune homme prend congé de ses hôtes en les remerciant de leur aimable accueil.

CHOIX D'EXPRESSIONS

à propos	by the way
comment allez-vous?	how are you?
je vais très bien	I am very well
faire + *inf.*	to have or cause a thing to be done
le long de	along
mettre à exécution	to carry out
au mieux	as best one can
Je vous prie	please
Je vous en prie	please don't mention it
tout à fait	quite, completely
venir de + *inf.*	to have just + *p.p.*
de la part de qui?	whom shall I say?
se devoir de + *inf.*	to owe it to oneself to

QUESTIONNAIRE

1. Qui ouvre la porte à Robert Martin? 2. Que demande M. Coquery au jeune Américain? 3. Comment le jeune homme trouve-t-il le métro parisien? 4. Que dit Mme Coquery à Robert Martin? 5. Quelle boisson M. Coquery offre-t-il au jeune étudiant? 6. Quelle pièce M. Coquery montre-t-il à Robert après le dîner? 7. Devant quoi le jeune homme s'extasie-t-il? 8. Que demande-t-il à M. Coquery? 9. Où pourra-t-il dénicher de vieilles éditions? 10. Quel emploi du temps M. Coquery propose-t-il à Robert? 11. A

quelle date commencent les cours universitaires en France? 12. Que fait Robert après le café?

MISE AU POINT GRAMMATICALE

17. SUBJUNCTIVE

GENERAL PRINCIPLE

The subjunctive mood is rarely used in a principal clause.[1] It is generally found in a dependent clause to express an idea of uncertainty or lack of reality. The action expressed by the verb in the subjunctive mood remains in the state of an idea. It does not assert a fact. The indicative, on the contrary, occurs continually in principal as well as in dependent clauses. It implies certainty in the mind of the speaker and expresses fact.

FORMATION OF THE PRESENT SUBJUNCTIVE

Regular:

THIRD PL. PRES. IND.	PRESENT SUBJUNCTIVE
ils parlent	**parl–e, –es, –e, –ions, –iez, –ent**
ils finissent	**finiss–e, –es, –e, –ions, –iez, –ent**
ils répondent	**répond–e, –es, –e, –ions, –iez, –ent**

The present subjunctive (*le subjonctif présent*) is regularly formed by dropping the ending **–ent** of the third plural of the present indicative and adding the endings **–e, –es, –e, –ions, –iez, –ent.**

Verbs phonetically affected:

A phonetically affected verb is one in which the stem of the present indicative changes because of the shift of stress. The rhythm is four strong and two weak, as in the verb **recevoir,** *to receive:*

PRESENT INDICATIVE

Strong		*Weak*
je reçois	il reçoit	nous recevons
tu reçois	ils reçoivent	vous recevez

[1] For a discussion of the subjunctive in the principal clause, see page 71.

Verbs phonetically affected start the formation of the present subjunctive from the same stem as regular verbs but shift the stem, using the same four and two rhythm as in the present indicative:

PRESENT SUBJUNCTIVE

Strong		*Weak*
(que) je **reçoive**	il **reçoive**	(que) nous **recevions**
tu **reçoives**	ils **reçoivent**	vous **receviez**

INFIN.	PRES. IND.	PRESENT SUBJUNCTIVE	
voir	ils voient	(que) je voie	(que) nous voyions
venir	ils viennent	(que) je vienne	(que) nous venions
devoir	ils doivent	(que) je doive	(que) nous devions
boire	ils boivent	(que) je boive	(que) nous buvions
prendre	ils prennent	(que) je prenne	(que) nous prenions
mourir	ils meurent	(que) je meure	(que) nous mourions
appeler	ils appellent	(que) j'appelle	(que) nous appelions
lever	ils lèvent	(que) je lève	(que) nous levions
jeter	ils jettent	(que) je jette	(que) nous jetions

Irregular verbs:

Phonetically affected

INFIN.	PRESENT SUBJUNCTIVE
avoir	aie, aies, ait, ayons, ayez, aient
être	sois, sois, soit, soyons, soyez, soient
aller	aille, ailles, aille, allions, alliez, aillent
valoir	vaille, vailles, vaille, valions, valiez, vaillent
vouloir	veuille, veuilles, veuille, voulions, vouliez, veuillent

Completely irregular

INFIN.	PRESENT SUBJUNCTIVE
faire	fasse, fasses, fasse, fassions, fassiez, fassent
pouvoir	puisse, puisses, puisse, puissions, puissiez, puissent
savoir	sache, saches, sache, sachions, sachiez, sachent

DEPENDENT CLAUSE IN PLACE OF THE INFINITIVE

1. Infinitive:

J'espère pouvoir faire ce voyage.	I hope I can take this trip.
Robert pense profiter beaucoup d'une année en France.	Robert thinks he will get a lot out of a year in France.

In the above examples the subject of the main verb is the same as the subject of the infinitive.

2. Dependent clause introduced by **que:**

Son professeur pense que Robert devrait faire ce voyage.	His professor thinks that Robert should take this trip.
Son père croit que Robert pourra profiter beaucoup de cette année.	His father believes that Robert will be able to get a lot out of this year.

Que is generally required to introduce a subordinate clause when the second verb of the sentence has a subject different from that of the first.

USE OF THE SUBJUNCTIVE IN DEPENDENT CLAUSES

1. After verbs and expressions indicating uncertainty, doubt, necessity, a lack of reality, or non-fact:

Il se peut que vous **trouviez** des volumes semblables à ceux-ci.	It is possible that you may find volumes similar to these. (*not certain*)
Je doute qu'il **fasse** beau demain.	I doubt that the weather will be good tomorrow. (*doubt*)
Il faut que j'**aille** voir le dentiste.	I must go and see the dentist. (*But do I?*)
Il faudra que j'y **aille.**	I shall have to go there. (*But do I?*)
Il est temps que je **parte.**	It is time I should leave. (*But do I?*)

After such verbs and expressions the subjunctive must be used in the dependent clause to express uncertainty in the mind of the speaker.

Common impersonals: il est nécessaire (bon, important, préférable, possible, convenable, impossible, utile), il importe, etc.

Uncertainty implied by a question or a negation:

IND.	Je crois qu'il réussira.	I think he will succeed. (*I'm convinced.*)
SUBJ.	Je ne crois pas qu'il **réussisse.**	I don't think he will succeed. (*But he might.*)
IND.	J'espère qu'elle viendra nous rendre visite.	I hope she will come to visit us. (*I expect that she will.*)
SUBJ.	Espérez-vous qu'elle **vienne** vous rendre visite?	Do you hope she will come to visit you? (*I'm not sure.*)
IND.	Il est certain qu'elle est morte.	It is certain that she is dead. (*certain*)
SUBJ.	Est-il certain qu'elle **soit** morte?	Is it certain that she is dead? (*doubt*)

After such verbs as **penser, croire, espérer, il me semble,**[1] **il est vrai (sûr, certain, évident, clair,** etc.), an idea of uncertainty may enter by way of a question or negation.

2. After verbs expressing the idea of will (insisting, commanding, permitting, forbidding, etc.) or wishing:

Je souhaite que vous **puissiez** voir Paris en mai.	It is my wish that you may see Paris in May.
Je voudrais que vous **puissiez** quitter Paris pour quelques jours.	I should like you to be able to leave Paris for a few days.

After such verbs there is an idea of unreality since the subjunctive does not assert that the action is actually accomplished.

Some examples of expressions of will or wishing are:

aimer	défendre	exiger	prier
aimer mieux	demander	ordonner	souhaiter
consentir	désirer	permettre	supplier
convenir	empêcher	préférer	il me tarde
avoir envie	éviter	prendre garde	vouloir, etc.

3. After verbs and expressions of emotion (joy, sorrow, surprise, anger, fear, shame):

Je suis ravi que vous **preniez** ma défense.	I am delighted that you are defending me.
Je suis navrée que mon fils Pierre ne **soit** pas là ce soir.	I am very sorry that my son Peter is not here this evening.

Some examples of expressions of emotion are:

craindre	se réjouir	être charmé	être joyeux
désespérer	avoir crainte	être content	être mécontent
s'étonner	avoir honte	être désolé	être surpris
se plaindre	avoir peur	être étonné	être triste
redouter	être affligé	être fâché	c'est dommage
regretter	être bien aise	être heureux	il est étonnant, etc.

4. After verbs and expressions of judgment or opinion:

J'approuve qu'il **soit** mis en liberté.	I approve of his being set free.
Il vaut mieux que nous nous en **allions** tout de suite.	It is better that we leave at once.

[1] **Il semble,** however, is regularly followed by the subjunctive in a subordinate clause.

Examples of such expressions are:

approuver	être d'avis
valoir mieux	mériter
trouver bon (mauvais)	il convient (*it is fitting*)
juger	

18. REFLEXIVE VERBS

They are conjugated like the following model:

INFINITIVES		PARTICIPLES	
PRESENT	se lever (*to rise*)	PRESENT	se levant (*rising*)
PERFECT	s'être levé(e)(s) (*to have risen*)	PERFECT	s'étant levé(e)(s) (*having risen*)

PRESENT INDICATIVE

je me lève	nous nous levons
tu te lèves	vous vous levez
il (elle) se lève	ils (elles) se lèvent

PRESENT PERFECT

je me suis levé(e)	nous nous sommes levé(e)s
tu t'es levé(e)	vous vous êtes levé(e)(s)
il (elle) s'est levé(e)	ils (elles) se sont levé(e)s

IMPERFECT	je me levais	PAST DEFINITE	je me levai
FUTURE	je me lèverai	CONDITIONAL	je me lèverais
PRES. SUBJ.	(que) je me lève	PAST PERF.	je m'étais levé(e)
FUTURE PERF.	je me serai levé(e)	IMPERATIVE	lève-toi, levons-nous, levez-vous

The compound tenses of all reflexive verbs are formed with **être** plus the past participle.

Les cartes postales **se vendent** ici. Postal cards are sold here.

The English passive is frequently translated by a reflexive verb to express an action which is being accomplished.

19. AGREEMENT OF PAST PARTICIPLE—SUMMARY

The past participles of verbs in the passive voice, or of intransitives with **être,** agree with the subject of the verb in gender and number:

Ils ont été **tués.**	They were killed.
Elles sont **sorties.**	They went out.

The past participles of verbs conjugated with **avoir** and the past participles of all reflexive verbs (always conjugated with **être**) are invariable unless the direct object precedes them, in which case they agree with this direct object in gender and number:

Avez-vous acheté la fleur?	Did you buy the flower?
Oui, je l'ai **achetée.**	Yes, I bought it.
Elles se (*dir. obj.*) sont **rencontrées,** mais elles ne se (*ind. obj.*) sont pas **parlé.**	They met each other, but they did not speak to each other.
Elle s'est **habillée** (*dir obj.*).	She dressed herself.
Elle s'est **lavé** les mains (*ind. obj.*).	She washed her hands.

Exception 1. The past participle does not agree with the pronoun **en:**

Avez-vous vu des choses intéressantes au Louvre?	Did you see some interesting things at the Louvre?
J'en ai **vu** beaucoup.	I saw many.

Exception 2. The past participle of **faire** is invariable when followed by an infinitive:

Il les a **fait** venir.	He sent for them.

DAILY VERBS

pouvoir (*be able*)	pouvant	pu	peux (puis)	pus
pourrai	pouvais	avoir pu		pusse
pourrais				

PRES. IND. peux (puis), peux, peut, pouvons, pouvez, peuvent
PRES. SUBJ. puisse, puisses, puisse, puissions, puissiez, puissent

(Imperative lacking because of meaning of the verb.)

falloir (*be necessary, must*)		fallu	il faut	il fallut
il faudra	il fallait	avoir fallu		il fallût
il faudrait				

PRES. IND. il faut
PRES. SUBJ. il faille

(Imperative lacking because of meaning of the verb.)

Falloir expresses the idea of necessity or obligation imposed upon the speaker regardless of his feelings. With **devoir** the influence usually comes from within; with **falloir** it is from without. **Falloir** is used only in the third person singular.

devoir (*owe, ought*)	devant	dû[1]	dois	dus
devrai	devais	avoir dû		dusse
devrais				

PRES. IND. dois, dois, doit, devons, devez, doivent
PRES. SUBJ. doive, doives, doive, devions, deviez, doivent

(Imperative lacking because of meaning of the verb.)

When the speaker wishes to express a feeling of duty or obligation, he uses **devoir.** When **devoir** is used as a semiauxiliary before an infinitive, it expresses also what is likely and probable.

Uses of **devoir,** *to owe, ought, be, must*[2]

Il me doit dix francs.	He owes me ten francs.
Il doit venir ce soir.	He is to come this evening.
Il doit être malade.	He must be ill.
Il devait venir hier.	He was to come yesterday.
Il a dû être malade.	He must have been ill.
Il a dû attendre.	He had to wait.
Il devrait me payer.	He ought to pay me.
Il aurait dû me payer.	He ought to have paid me.

EXERCICES

I. **Exercices sur les verbes: «pouvoir, falloir, devoir»**

A. Répétez les phrases suivantes en employant le sujet indiqué:

Je peux parler français. (Vous, ma sœur, tu, les étudiants, nous)
Tu dois travailler. (Je, les élèves, nous, vous, l'étudiant)

[1] *f.* **due;** *pl.* **du(e)s.** [2] Supposition.

Les experts pourront voyager. (Tu, l'élève, vous, nous, je)
La classe devra répondre. (Vous, tu, nous, je, les étudiants)
Nous avons pu visiter la France. (Tu, les voyageurs, je, vous, ce professeur)
Vous avez dû sortir. (Les domestiques, tu, ton frère, je, nous)

B. Mettez au pluriel:

Je pouvais rester à la maison.
Tu pouvais rester à la maison.
Il pouvait rester à la maison.
Le directeur pourrait être en retard.
Je pourrais être en retard.
Tu pourrais être en retard.

C. Mettez au singulier:

Nous devrions parler français.
Les élèves devraient parler français.
Vous devriez parler français.
Vous deviez venir.
Mes sœurs devaient venir.
Nous devions venir.

D. Dans les phrases suivantes, utiliser **falloir** à la place de **être nécessaire:**

Exemple: Il est nécessaire de travailler.
—Il faut travailler.

Il est nécessaire de manger.
Il a été nécessaire d'ouvrir les fenêtres.
Il serait nécessaire d'acheter des livres.
Il sera nécessaire de voyager de nuit.
Il était nécessaire de se coucher tôt.

II. Exercices sur le subjonctif

A. Dans les phrases suivantes, remplacez l'infinitif par un subjonctif présent:

Exemple: Il faut lire des romans français.
—Il faut que je . . .
—Il faut que je lise des romans français.

Il faut connaître la France. Il faut que nous . . .
Il faut comprendre les artistes français. Il faut que vous . . .
Il faut écrire correctement. Il faut que ces enfants . . .
Il faut aller au théâtre. Il faut que tu . . .

B. Dans les phrases suivantes, remplacez l'infinitif par un subjonctif présent:

Exemple: Il est nécessaire d'apprendre le français.
—Il est nécessaire que nous . . .
—Il est nécessaire que nous apprenions le français.

Il est nécessaire de finir à l'heure. Il est nécessaire que je . . .
Il est nécessaire de savoir les verbes. Il est nécessaire que tu . . .
Il est nécessaire de conduire l'auto. Il est nécessaire que votre sœur . . .
Il est nécessaire de venir à temps. Il est nécessaire que vous . . .

C. Mettez l'infinitif donné au subjonctif présent:

Exemple: Pleuvoir —Il est temps qu'il . . . —Il est temps qu'il pleuve.

Faire beau. —Il se peut qu'il . . .
Venir. —Il est probable que tu . . .
Partir. —Il n'est pas sûr que ce train . . .
Avoir tort. —Il est possible que vous . . .
Être là. —Il importe que le directeur . . .
Boire du lait. —Il est utile que les enfants . . .

D. Mettez les phrases suivantes au pluriel en remplaçant **je** par **nous** et **tu** par **vous:**

Exemple: Je ne suis pas surpris que tu parles français.
—Nous ne sommes pas surpris que vous parliez français.

Je suis heureux que tu viennes.
J'ai honte que tu fasses des fautes.
J'ai peur que tu ne comprennes pas bien.
Je suis étonné que tu ailles en France.

E. Mettez les phrases suivantes à la forme négative. Vous remplacerez le futur par le subjonctif présent:

Exemple: Je crois que cette femme mourra.
—Je ne crois pas que cette femme meure.

Le professeur croit que cet élève réussira.
Le professeur est sûr que ces étudiants passeront l'examen.
Le professeur pense que cette étudiante fera des progrès.
Le professeur est certain que le directeur viendra.

F. Complétez les phrases suivantes en mettant l'infinitif donné au subjonctif présent:

Exemple: Faire le travail.
—Le professeur souhaite que les étudiants . . .
—Le professeur souhaite que les étudiants fassent le travail.

Être à l'heure. —Le professeur désire que nous . . .
Lire à haute voix. —Le professeur ordonne que je . . .
Savoir le français. —Le professeur veut que vous . . .
Avoir des livres. —Le professeur demande que tu . . .

III. Exercice sur la forme passive

Transformez les phrases avec **on** d'après le modèle suivant:

Exemple: On achète les fruits dans ce magasin.
—Les fruits s'achètent dans ce magasin.

On vend des livres ici.
On trouve des bouquins sur les quais.
On donne des leçons dans cette salle.
On joue des pièces au théâtre.

IV. Exercices sur l'accord du participe passé

A. Répondez aux questions suivantes en remplaçant le nom complément d'objet direct par un pronom personnel:

Exemple: Avez-vous vu votre amie? —Oui, je l'ai vue.

Avez-vous fait les dictées?
Avez-vous pris la serviette?
Avez-vous ouvert la porte?
Avez-vous écrit les lettres?

B. Répondez aux questions suivantes en remplaçant le nom complément par le pronom **en:**

Exemple: Avez-vous mangé des fruits? —J'en ai mangé.

Avez-vous reçu des lettres?
Avez-vous lu des journaux français?
Avez-vous acheté des fleurs?
Avez-vous bu de l'eau?

THÈME

1. I should like to take a trip to Paris.
2. Do you think I can leave this summer?
3. It is better for (*que*) you to spend another year (*à*) studying the French language.
4. It may be that my uncle will come and help me.
5. The things he saw in France impressed him greatly.
6. His uncle remembered with pleasure all he saw during his stay in France.
7. I should like (*que*) you to be in Paris when the courses start.
8. Mr. Coquery is delighted that Robert is willing to take his advice.
9. How glad I am to see you.
10. I am sorry that Mrs. Coquery is not here at the moment.

PATHE MARCO
FLEUR
BOUCHERIE
A. Fayet
SEINE

LOURDES

unit 6

20. PAST DEFINITE
21. PRESENT PERFECT SUBJUNCTIVE
22. IMPERFECT SUBJUNCTIVE
23. SUBJUNCTIVE IN ADJECTIVAL CLAUSES
24. SUBJUNCTIVE IN ADVERBIAL CLAUSES
25. SUBJUNCTIVE—SEQUENCE OF TENSES
26. SUBJUNCTIVE IN PRINCIPAL CLAUSES

DAILY VERBS: *envoyer*
prendre
dormir

Notre-Dame de Lourdes

Cher Maître,

Je m'en veux d'avoir tant tardé à répondre à votre aimable lettre, mais je me suis absenté de Paris pendant une quinzaine de jours et je viens seulement de rentrer.

Vous savez que M. Coquery m'a proposé de faire un voyage à Lourdes à l'occasion du 15 août. Espérant voir quelque chose qui sorte nettement de l'ordinaire, j'ai suivi son conseil. Afin que vous puissiez vous faire une idée de la scène à la fois impressionnante et inoubliable qui s'est déroulée devant mes yeux à Lourdes, je me permets de vous envoyer un compte-rendu de ce voyage, extrait de mon journal.

Croyez, cher Maître, à l'expression de mes sentiments respectueusement reconnaissants.

Robert Martin

Lourdes

Depuis longtemps notre train électrique serpentait entre des collines, s'approchant peu à peu des Pyrénées qu'on apercevait au loin. Enfin, il s'arrêta à la gare de Lourdes. A peine étais-je descendu sur le quai que je me sentis transporté d'emblée dans un autre monde. Une
5 foule de pèlerins venus de tous les pays, parlant les langues les plus diverses, portant les costumes les plus variés, envahissait la petite gare. On voyait partout des prêtres, des malades, des infirmières, des civières, des fauteuils roulants, que sais-je encore.

Bien que les pèlerins fussent venus d'un peu partout, ils semblaient
10 animés d'une même ferveur religieuse.

En traversant la petite ville, je ne vis que des hôtels et des boutiques. Celles-ci étalaient à leur devanture une infinité d'objets de piété et de souvenirs. Une seule pensée occupait toute la ville, «la foi religieuse». Passé le gave du Pau, je vis un spectacle à la fois pittoresque, grandiose
15 et impressionnant. Il y avait d'abord une immense pelouse de forme ovale, protégée par une grille en fer et entourée d'une allée. Au bout de cette pelouse se dresse l'imposante basilique à deux étages bâtie sur un immense rocher. Ce monument se trouve au centre d'un croissant dont chaque pointe forme une rampe. Ces deux rampes se rejoignent
20 sur une plate-forme au premier étage, juste au-dessus de la chapelle du rez-de-chaussée et forment ainsi une promenade en demi-cercle. On peut monter à la chapelle du premier étage d'un côté et puis descendre de l'autre.

C'était l'heure du crépuscule. Le soleil venait de disparaître
25 derrière les Pyrénées. Comme si elle n'attendait que ce signal, la procession commença. Venant de la grotte sacrée qui se trouve derrière la basilique, les pèlerins avançaient, portant un lampion à la main et chantant un cantique à la Vierge. Tout à coup, la façade de la basilique s'éclaira, inondant de lumière les deux belles flèches. En
30 même temps, une immense croix, placée tout là-haut, dans les montagnes, s'illumina. Les pèlerins avançaient toujours. Peu à peu, ils montèrent, traversèrent la plate-forme devant la chapelle du premier étage et descendirent de l'autre côté. Alors, au nombre de dix mille environ, ils firent le tour de la vaste pelouse. Le scintillement des
35 cierges faisait penser à des diamants. Enfin, les pèlerins revinrent et se groupèrent devant la terrasse pour unir leurs voix, jusqu'alors dispersées, en un chœur puissant et magnifique.

Ce soir-là, comme pour marquer l'approbation du Ciel, la lune vint se poser juste au-dessus de la croix illuminée dans la montagne. Il y
40 avait devant la pelouse, face à la basilique, une statue de la Vierge également illuminée. Tout contribuait à rendre cette scène éclatante de lumière et de beauté. On sentait passer dans cette foule un de ces

grands courants de dévotion dont nous soupçonnons à peine la nature. Je ne m'étonnais plus qu'il se fît ici des miracles.

Je me suis rendu ensuite derrière la basilique, devant la grotte d'où jaillissent les eaux miraculeuses. Elle est illuminée nuit et jour, par des milliers de cierges. Bien qu'on y amène d'habitude les malades le 5 matin, il y en avait même à cette heure tardive. On pouvait les entendre prier: «Seigneur, faites que je voie. Seigneur, faites que j'entende. Seigneur, faites que je marche».

C'était vraiment émouvant. Je suis parti de là, bouleversé, cherchant à comprendre cette scène qui est peut-être la plus étrange qui 10 soit au monde. Pour ma part, c'est sans doute le spectacle le plus extraordinaire que j'aie jamais vu. Qui que vous soyez, dites-vous qu'un pèlerinage à Lourdes est une expérience qu'il ne faut pas manquer. Plaise à Dieu que je puisse le refaire un jour.

CHOIX D'EXPRESSIONS

de l'autre côté	on the other side
pour (ma) part	for (my) part
d'emblée	at once, right away
faire un voyage	to take a trip
se faire une idée	to get an idea
d'habitude	usually, ordinarily
à la main	in one's hand
plaise à Dieu	would to God, God grant
à peine	scarcely, hardly
peu à peu	little by little
sortir de l'ordinaire	to be unusual
tout à coup	suddenly
viens de + *inf.*	have just + *p.p.*
en vouloir à	to be annoyed with, to bear ill will toward

QUESTIONNAIRE

1. Où Robert Martin est-il allé sur le conseil de M. Coquery? 2. Qu'a-t-il vu à la gare de Lourdes? 3. Qu'y avait-il aux devantures des magasins? 4. Où se dresse la basilique? 5. A quel moment la procession a-t-elle commencé? 6. Comment les pèlerins avançaient-ils? 7. Qu'est-ce qui s'est illuminé tout là-haut dans la montagne? 8. Que sentait-on passer dans cette foule? 9. Où Robert Martin s'est-il rendu ensuite? 10. Par quoi la grotte était-elle illuminée? 11. Quelles prières les malades adressaient-ils au Seigneur? 12. Que souhaite Robert Martin?

MISE AU POINT GRAMMATICALE

20. PAST DEFINITE

FORMATION

1. In general the past definite tense (*le passé simple*) is formed from the past participle:

	PAST PART.	PAST DEFINITE	
FIRST CONJ.	donné	**donn**	**–ai, –as, –a, –âmes, –âtes, –èrent**
SECOND CONJ.	choisi	**chois**	**–is, –is, –it, –îmes, –îtes, –irent**
THIRD CONJ.	perdu	**perd**	**–is, –is, –it, –îmes, –îtes, –irent**
-*oir* GROUP	reçu	**reç**	**–us, –us, –ut, –ûmes, –ûtes, –urent**

2. There is a resemblance between the past definite tense and the present participle of five verbs and their group members: **joindre,** etc., **conduire,** etc., **ouvrir,** etc., **écrire,** etc., **vaincre,** etc.

INFIN.	PRES. PART.	PAST DEF.
joindre, *to join*	joignant	je joignis, etc.
craindre, *to fear*	craignant	je craignis, etc.
peindre, *to paint*	peignant	je peignis, etc.
etc.		

All verbs ending in **–oindre, –aindre, –eindre.**

conduire, *to lead*	conduisant	je conduisis, etc.
construire, *to build*	construisant	je construisis, etc.
etc.		

All verbs ending in **–uire.**

ouvrir, *to open*	ouvrant	j'ouvris, etc.
offrir, *to offer*	offrant	j'offris, etc.

(Also: couvrir, *to cover;* souffrir, *to suffer*)

écrire, *to write*	écrivant	j'écrivis, etc.

(Also: décrire, *to describe;* souscrire, *to subscribe*, etc.)

vaincre, *to conquer*	vainquant	je vainquis, etc.

(Also: convaincre, *to convince*)

EXCEPTIONS:

INFIN.	PAST DEF.	INFIN.	PAST DEF.	INFIN.	PAST DEF.
faire	je fis, etc.	**voir**	je vis, etc.	**naître**	je naquis, etc.
être	je fus, etc.	**venir**	je vins, etc.	**mourir**	je mourus, etc.

USE

Louis XVI **mourut** en véritable roi.	Louis XVI died like a real king.
Napoléon **naquit** en Corse.	Napoleon was born in Corsica.

The past definite denotes an action or state completed in past time. It is the narrative or historical past used in literary style, but not in conversation.

21. PRESENT PERFECT SUBJUNCTIVE

FORMATION

(que) **j'aie,** etc.
je sois, etc.
je me sois, etc. } + past participle (**–é, –i, –u, –s, –t**) **ENDINGS**

The present perfect subjunctive (*le subjonctif passé*) is formed by using the present subjunctive of **avoir** or **être** with the past participle of the verb.

USE

Je regrette qu'elle **soit partie.**	I'm sorry she has left.
Je ne crois pas qu'il m'**ait reconnue.**	I don't think he recognized me.

The present perfect subjunctive points out an action previous to that asserted by the verb of the principal clause.

22. IMPERFECT SUBJUNCTIVE

FORMATION

	FIRST PERSON PAST DEFINITE	IMPERFECT SUBJUNCTIVE
FIRST CONJ.	je donnai	**donna –sse, –sses, –^t, –ssions, –ssiez, –ssent**
SECOND CONJ.	je choisis	**choisi –sse, –sses, –^t, –ssions, –ssiez, –ssent**
THIRD CONJ.	je perdis	**perdi –sse, –sses, –^t, –ssions, –ssiez, –ssent**
-oir GROUP	je reçus	**reçu –sse, –sses, –^t, –ssions, –ssiez, –ssent**

To form the imperfect subjunctive (*l'imparfait du subjonctif*) drop the final letter of the first person of the past definite and add the endings **–sse, –sses, –^t, –ssions, –ssiez, –ssent.** There are no exceptions.

The use of the imperfect subjunctive is discussed in § 25.

23. SUBJUNCTIVE IN ADJECTIVAL CLAUSES[1]

1. After a superlative idea:

C'est le livre le plus intéressant que j'**aie** jamais **lu.**	It is the most interesting book I have ever read.

When the antecedent contains a superlative or an adjective such as **premier, dernier, seul,** etc., the subjunctive is nearly always used. If, however, it is desired to emphasize a fact beyond a shadow of a doubt, then the indicative is used:

C'est la seule chose qu'il **a dite.**	It is the only thing he said.

2. After verbs expressing a general negation:

Il n'y a rien qui **puisse** guérir cet homme.	There is nothing that can cure this man.

3. To imply characteristics sought for but not attained:

Je cherche un endroit où je **sois** tranquille.	I am looking for a place where I may be quiet.

[1] Adjectival clauses are those introduced by a relative pronoun and are equivalent to an adjective.

Il veut une femme qui **puisse** le rendre heureux.	He wants a wife who can make him happy.

4. With concessive value in compound relative and indefinite clauses (*whoever*, *whatever;* also *wherever* in adverbial clauses):

Qui que vous **soyez.**	Whoever you may be.
Quoi que ce **soit.**	Whatever it may be. Anything at all.
Où que vous **soyez.**	Wherever you may be.

24. SUBJUNCTIVE IN ADVERBIAL CLAUSES

1. The subjunctive is used in adverbial clauses after conjunctions of time indicating anticipation, such as **avant que,** *before;* **jusqu'à ce que,** *until;* **en attendant que,** *until:*

Avant que Robert ne **parte** pour Lourdes, M. Coquery lui fournira tous les renseignements nécessaires.	Before Robert leaves for Lourdes, Mr. Coquery will furnish him all the necessary information.

2. It is used after conjunctions of purpose, such as **afin que** and **pour que,** *in order (so) that;* **de crainte que** and **de peur que,** *for fear that;* and **de sorte que,** *so that* (as purpose but not result):

Afin que vous **puissiez** vous faire une idée de cette scène, je me permets de vous envoyer un compte-rendu de ma visite.	In order that you may get an idea of that sight, I am taking the liberty of sending you an account of my visit.

3. It is used after conjunctions of condition and assumption, such as **pourvu que,** *provided that;* **supposé que,** *supposing that;* **à moins que,** *unless*, etc.:

Pourvu que Robert **revienne** à Paris à temps pour le jour des inscriptions, tout ira bien.	Provided that Robert returns to Paris in time for registration day, all will be well.

4. It is used after conjunctions of concession, such as **quoique, bien que, malgré que, encore que,** *all* meaning *although;* **soit que . . . soit [ou] que,** *whether . . . or:*

Bien qu'on y amène d'habitude les malades le matin, il y en avait même à cette heure-là.	Although they customarily bring the patients there in the morning, there were some there even at that hour.

5. It is used after conjunctions of negation, such as **non que, non pas que,** *not that;* **sans que,** *without;* **loin que,** *far from:*

L'heure du crépuscule s'avance, sans qu'on (ne) l'**aperçoive.**	The twilight hour advances, without being noticed.

REMARK. **Ne,** as well as the subjunctive, is commonly used after **craindre,** *to fear;* **trembler,** *to tremble, fear;* **avoir peur,** *be afraid;* **empêcher,** *prevent;* **prendre garde,** *take care;* **de crainte que,** *for fear that;* **à moins que,** *unless;* and sometimes **sans que,** *without;* and **avant que,** *before.* The decree of the minister of National Education (1901) tolerates the omission of this **ne,** but it is still found in the works of the best writers.

J'ai peur qu'il **ne** soit mort.	I am afraid he is dead.
Prenez garde que vous **ne** tombiez.	Take care lest you fall.

25. SUBJUNCTIVE—SEQUENCE OF TENSES

1. Present and future tenses in the principal clause require the dependent verb (or the auxiliary in compound tenses) to be in the present subjunctive:

Je **doute** Je **douterai**	qu'il le **fasse.** qu'il l'**ait** fait.	I doubt I shall doubt	that he is doing (will do) it. that he did (has done) it.

2. When any other tense occurs in the principal clause, the dependent verb (or the auxiliary in a compound tense) is in the imperfect subjunctive *in literary style.* In practice, however, the use of the imperfect subjunctive is restricted to the third person and is becoming increasingly rare in the spoken language. In ordinary speech and informal writing the present subjunctive is commonly used for the imperfect subjunctive.

LITERARY STYLE

Je **doutais** Je **doutai** Je **douterais** **J'ai douté** **J'avais douté** **J'aurais douté**	qu'il le **fît.** qu'il l'**eût** fait.[1]	I used to doubt I doubted I should doubt I have doubted I had doubted I should have doubted	that he was doing (would do) it. that he had done it.

[1] Pluperfect of the subjunctive—see formation, page 212.

CONVERSATIONAL STYLE AND INFORMAL WRITING

Je ne **m'étonnais** point qu'il se **fasse** ici des miracles. — I was not surprised that miracles were performed here.

Je **voudrais** que vous **puissiez** quitter Paris pour quelques jours. — I wish you could leave Paris for a few days.

Je n'**aurais** jamais **cru** que le métro parisien **soit** aussi commode que celui de New-York. — I'd never have believed that the Paris subway was as convenient as the one in New York.

3. In general, when the action described by the dependent verb occurs at the same time as or subsequent to that of the governing verb, a simple tense of the subjunctive is used. When the action described by the dependent verb is previous to that of the governing verb, a compound tense of the subjunctive is used.

Je **doute** qu'il le **fasse.** — I doubt that he is doing (will do) it.

Je **doute** qu'il l'**ait fait.** — I doubt that he did it.

Je **doutais** qu'il le **fît.** — I doubted that he was doing (would do) it.

Je **doutais** qu'il l'**eût fait.** — I doubted that he had done it.

The imperfect and pluperfect tenses of the subjunctive have almost disappeared from ordinary speech and informal writing. The present and the present perfect have replaced them, as the case requires.

26. SUBJUNCTIVE IN PRINCIPAL CLAUSES

The subjunctive in principal clauses is used in optative expressions (wishes), in concessive or conditional expressions, in expressions such as **pas que je sache,** *not that I know of*, and to represent the third person of the imperative:

Vive la France! — Long live France!

Plaise à Dieu! — Would to God! God grant!

A Dieu ne plaise! — God forbid!

Ainsi soit-il! — So be it! Amen!

Sauve qui peut! — Every man for himself! (Let him save himself who can!)

Qu'il s'en aille tout de suite. — Let him go away at once!

Soit! — So be it!

Pas que je sache. — Not so far as I know.

DAILY VERBS

envoyer (*send*)	envoyant	envoyé	envoie	envoyai
enverrai	envoyais	avoir envoyé		envoyasse
enverrais				

PRES. IND. envoie, envoies, envoie, envoyons, envoyez, envoient
PRES. SUBJ. envoie, envoies, envoie, envoyions, envoyiez, envoient

(**renvoyer,** *to send away*)

prendre (*take*)	prenant	pris	prends	pris
prendrai	prenais	avoir pris		prisse
prendrais				

PRES. IND. prends, prends, prend, prenons, prenez, prennent
PRES. SUBJ. prenne, prennes, prenne, prenions, preniez, prennent

apprendre	*to learn*	reprendre	*to take again*
comprendre	*to understand*	surprendre	*to surprise*
entreprendre	*to undertake*		

dormir (*sleep*)	dormant	dormi	dors	dormis
dormirai	dormais	avoir dormi		dormisse
dormirais				

PRES. IND. dors, dors, dort, dormons, dormez, dorment
PRES. SUBJ. dorme, dormes, dorme, dormions, dormiez, dorment

s'endormir	*to go to sleep*	sentir	*to feel*
se rendormir	*to go to sleep again*	servir	*to serve*
mentir	*to lie*	sortir	*to go out*
partir	*to depart*		

EXERCICES

I. **Exercices sur les verbes: «envoyer, prendre, dormir,» etc.**

A. Répétez les phrases suivantes en employant le sujet indiqué:

J'envoie une lettre. (Tu, les parents, la famille, nous, vous)
Il faut que vous envoyiez des nouvelles. (Je, tu, les voyageurs, nous, votre frère)

Votre frère enverra un télégramme. (Vos amis, nous, je, vous, tu)
La secrétaire envoyait les visiteurs. (Tu, je, vous, nous, les jeunes filles)
Je prends le métro. (Tout le monde, tu, nous, vous, les Parisiens)
Nous comprendrons les journaux français. (Les étrangers, tu, je, vous, cet étudiant)
Il faut que les étudiants surprennent le professeur. (Vous, toute la classe, tu, nous, je)
Tu reprenais du café. (Les enfants, je, nous, vous, l'invité)
Je m'endors tard. (Tu, vous, mes parents, la petite fille, nous)
Les bébés dormaient dans leur lits. (Nous, vous, tu, l'enfant, je)
Vous sortirez ce soir. (Les étudiantes, je, nous, tu, la domestique)
Il faut que la mère serve le dîner. (Les garçons, tu, je, vous, nous)

B. Mettez les phrases suivantes au passé simple:

Ma mère a envoyé un paquet.
Tu as envoyé un colis.
Vous avez envoyé un souvenir.
Vous avez pris le train.
J'ai compris le douanier.
Nous avons entrepris ce travail.
Il s'est senti bouleversé.
Ces garçons ont menti.
Tu as ressenti une grande émotion.
J'ai envoyé des livres.
Ils ont envoyé des cartes.
Nous avons envoyé des salutations.
L'étudiant a appris sa leçon.
Elles ont compris cette prière.
Les pèlerins ont entrepris ce pèlerinage.
Nous sommes partis ce jour-là.
Vous êtes repartis le 5 mai.
Je suis ressorti de la pièce.

II. Exercices sur le passé simple

A. Mettez les phrases suivantes au pluriel:

Exemple: Ce jour-là, le directeur entra dans la salle.
—Ce jour-là, les directeurs entrèrent dans la salle.

Ce jour-là, je choisis ce vêtement pour sortir.
Ce jour-là, mon frère perdit son argent.
Ce jour-là, tu conduisis l'auto dans Paris.
Ce jour-là, elle reçut une bonne nouvelle.

B. Mettez les phrases suivantes au singulier:

Exemple: Cet été-là, mes oncles visitèrent la France.
—Cet été-là, mon oncle visita la France.

Cet été-là, nous vîmes Paris pour la première fois.
Cet été-là, ces auteurs écrivirent un roman.
Cet été-là, vous peignîtes un tableau.
Cet été-là, nous offrîmes ce souvenir de Lourdes.

C. Mettez les phrases suivantes au passé simple en les commençant par: **C'est cette année-là que . . .:**

Exemple: J'ai fait sa connaissance. —C'est cette année-là que je fis sa connaissance.

La guerre a éclaté.
Nous sommes revenus en France.
Vous avez été dans cette université.
Napoléon est mort à Sainte-Hélène.
Victor Hugo est né à Besançon.

III. Exercice sur le subjonctif passé

Dans les phrases suivantes mettez le 2ème verbe au passé du subjonctif:

Exemple: Je regrette que tu sois malade.
—Je regrette que tu aies été malade.

Je suis content que tu fasses ce pèlerinage.
Je crains que tu n'arrives en retard.
Je ne pense pas que tu aies le temps de faire cela.
Je doute que les experts finissent leur travail à temps.

IV. Exercice sur l'imparfait du subjonctif

Dans les phrases suivantes mettez le premier verbe à l'imparfait de l'indicatif et le deuxième à l'imparfait du subjonctif:

Exemple: Il faut que l'étudiant parle français.
—Il fallait que l'étudiant parlât français.

Il faut que ce jeune homme choisisse un métier.
Il faut que le malade aille à Lourdes.
Il faut que cette jeune fille fasse ce voyage.
Il faut que l'expert réponde aux questions posées.

V. **Exercices sur l'usage du subjonctif**

A. Répondez aux questions suivantes par une phrase complète en introduisant **oui** et **nous:**

Exemple: Ce professeur est-il le meilleur que vous ayez connu? —Oui, ce professeur est le meilleur que nous ayons connu.

Ce pays est-il le plus beau que vous ayez visité?
Est-ce l'unique roman français que vous ayez lu?
Est-ce le spectacle le plus extraordinaire auquel vous ayez assisté?
Cette comédie est-elle la plus amusante que vous ayez vue?

B. Dans les phrases suivantes, remplacez **tout** par **il n'y a rien qui** ou **il n'y a rien que:**

Exemple: Tout me fait plaisir.
—Il n'y a rien qui me fasse plaisir.

Tout vous plaît.
Vous pouvez tout faire.
Tout paraît simple.
Je sais tout.
Nous voulons tout.
Tout va bien.

C. Dans les phrases suivantes remplacez **J'ai trouvé un endroit** par **Je cherche un endroit:**

Exemple: J'ai trouvé un endroit où je peux travailler.
—Je cherche un endroit où je puisse travailler.

J'ai trouvé un endroit où je suis bien.
J'ai trouvé un endroit où je construis ma maison.
J'ai trouvé un endroit où j'entends les oiseaux chanter.
J'ai trouvé un endroit où je veux vivre.
J'ai trouvé un endroit où je reçois des amis.

VI. **Exercices sur l'emploi du subjonctif après des conjonctions et des locutions conjonctives**

A. Mettez les phrases suivantes au pluriel:

Exemple: Finis ce travail avant que je vienne.
—Finissez ce travail avant que nous venions.

Étudie jusqu'à ce que j'arrive.
Mon frère travaille afin que je fasse des études.
L'acteur parle de sorte que le spectateur l'entende.
Son oncle l'envoie à Paris pour qu'il puisse apprendre le français.
Travaille en attendant que je téléphone.
Le professeur répète de crainte que son élève ne comprenne pas.

B. Mettez les phrases suivantes au singulier:

Exemple: Faites comme vous voulez pourvu que vous réussissiez. —Fais comme tu veux pourvu que tu réussisses.

N'allez pas dans cet hôtel à moins que vous n'ayez beaucoup d'argent.
Vous réussirez en admettant que vous travailliez beaucoup.
Nous ferons des progrès pourvu que nous étudiions tous les jours.
Vous allez au cinéma bien que vous n'ayez pas beaucoup d'argent.
Si fatigués que vous soyez, ne le montrez pas.
Quelque effort que nous fassions, nous n'obtiendrons rien.
Nos camarades ne sortiront pas sans que nous les voyions.

THÈME

1. Mr. Coquery invited Robert to dinner in order that Robert might meet Mrs. Coquery.
2. There is no one who is better acquainted with France than Mr. Coquery.
3. Mr. Coquery thinks that Lourdes is the most impressive sight that one can see.
4. Whoever you may be, if you take a trip to France, you must visit Lourdes.
5. Victor Hugo saw the light of day for the first time on February 26, 1802 at Besançon.
6. He was recognized as the head of a new literary school, called the Romantic School.
7. Although he is known in America rather by his novels, Victor Hugo was a universal genius for he also wrote poetry and plays.
8. His work had a great influence on his era. He died May 22, 1885.
9. Mr. Coquery had proposed that Robert should take a trip to Lourdes, saying that he would see something unusual.
10. He had been away for two weeks and had just returned.

LECTURE AT THE SORBONNE

unit 7

27. AGREEMENT OF ADJECTIVES
28. POSITION OF ADJECTIVES
29. IRREGULAR ADJECTIVES
30. DEMONSTRATIVE ADJECTIVES
31. POSSESSIVE ADJECTIVES

DAILY VERBS: *écrire*
mettre

La Cité Universitaire

Cher Maître,

De retour à Paris, j'ai retrouvé avec plaisir la Cité Universitaire qui est maintenant mon domaine. Je loge au Pavillon Franco-Britannique qui est très bien situé près de la poste et des principaux bâtiments de l'administration, non loin de l'hôpital, à deux pas de la Maison Internationale. C'est là que je prends mes repas, tous les jours, dans une atmosphère bruyante mais très agréable. Nous arrivons à «chahuter», à discuter et à déjeuner tout à la fois. Une jeune étudiante ne peut entrer dans la salle à manger avec un chapeau sur la tête de crainte de soulever une tempête de cris jusqu'à ce qu'elle l'ait retiré. Je ne me risquerais pas moi-même à faire tomber mon plateau ou à renverser ma chaise, car je serais immédiatement signalé à l'attention de tous par un «chahut» indescriptible.

Jeune, gaie, studieuse, telle est l'ambiance de la Cité Universitaire.

Les autres pavillons offrent aussi de multiples intérêts et j'ai un grand nombre de camarades, soit au Pavillon américain, soit à la coquette Maison des Provinces françaises. Chaque pavillon a son style particulier et il est bien amusant de passer des toits en pagode de la Maison 5 japonaise aux cubes ultramodernes de la Fondation suisse, ou des tours du Collège d'Espagne au fronton ionique de la Fondation Hellénique.

Dans ce grand domaine, nous pouvons travailler sérieusement et nous distraire. Sur tous les terrains de sport qui s'étendent derrière les bâtiments principaux ou dans le gymnase, nous oublions les questions 10 posées par nos professeurs. Il nous est facile d'y répondre dans la calme retraite de notre bibliothèque qui est grande et silencieuse.

Le programme artistique de cette saison s'annonce particulièrement intéressant. Différentes troupes de théâtre et de ballet de la capitale doivent venir soumettre à nos critiques les jeunes talents parisiens. On 15 nous promet aussi un certain nombre de concerts de qualité.

Je suis persuadé que cette prochaine année sera des plus enrichissantes, aussi vais-je profiter de ces quelques semaines de flottement et d'adaptation pour améliorer le plus possible mon français, afin de pouvoir participer pleinement à cette vie palpitante. Je vous écrirai 20 à nouveau pour vous faire part de mes futures découvertes.

Je vous prie de croire, cher Maître, à mon profond respect.

Robert Martin

PS. Comme je serais heureux de pouvoir arriver à me débarrasser de cet accent américain qui fait mon désespoir.

CHOIX D'EXPRESSIONS

à deux pas (de)	within a stone's throw, close to, nearby
arriver à + *inf.*	to succeed in
faire part de	to announce, inform of
faire tomber	to let fall, cause to fall, to knock over
à nouveau	again
soit . . . soit	either . . . or, whether . . . or
tous les jours, tous les soirs	every day, every evening
tout à la fois	all at the same time

QUESTIONNAIRE

1. Comment Robert Martin a-t-il retrouvé la Cité Universitaire? 2. Où loge-t-il? 3. Près de quoi son collège est-il situé? 4. Où prend-il ses repas? 5. Comment trouve-t-il l'atmosphère du réfectoire?

6. Comment est l'ambiance de la Cité Universitaire? 7. Quel est le style des pavillons? 8. Où sont les terrains de sport? 9. Comment est la bibliothèque? 10. Comment le programme artistique de l'année s'annonce-t-il? 11. A quelles sortes de spectacles les étudiants pourront-ils assister? 12. De quoi Robert Martin est-il persuadé?

MISE AU POINT GRAMMATICALE

27. AGREEMENT OF ADJECTIVES

Ce garçon est à la fois **intelligent** et **laborieux.**	This boy is both intelligent and studious.
Sa sœur est aussi **intelligente** et **laborieuse.**	His sister is also bright and studious.
Sauf Paris et Marseille, les villes **françaises** ne sont pas **grandes.**	Except for Paris and Marseilles, French cities are not large.
tous les jours	every day
toute la nuit	all night long

An adjective agrees in number and gender with the noun or pronoun it modifies.

Le père et son fils sont **beaux,** **tous** les deux.	The father and his son are both handsome.
La mère et sa fille sont **belles,** **toutes** les deux.	The mother and her daughter are both beautiful.
La mère et le père sont **bons** pour leurs enfants.	The mother and father are kind to their children.

If an adjective modifies two or more masculine nouns, it must be in the masculine plural; if it modifies two or more feminine nouns, it must be in the feminine plural; if it modifies two or more nouns of different gender, it must be in the masculine plural.

TOUT

tout le monde	everybody
tous les jours	every day
toute la nuit	all night long
toutes les heures	every hour

The plural of **tout** drops the **t** and becomes **tous.**

TOUT AS AN ADVERB:

Il est **tout** âgé.	He is quite old.
Elle est **tout** âgée.	She is quite old.
Elle est **tout** heureuse.	She is very happy.
Elle est **toute** seule.	She is all alone.
Elle était **toute** honteuse.	She was very much ashamed.
Nous étions **tout** interdits.	We were quite taken aback.

The adverb **tout** behaves like an adjective and thus agrees only in one special case, i.e., before a feminine adjective beginning with a consonant or an aspirate **h.** An aspirate **h** prevents linking.

28. POSITION OF ADJECTIVES

une table **carrée**	a square table
un chapeau **gris**	a gray hat
un soldat **anglais**	an English soldier
une église **catholique**	a Catholic church
un édifice **imposant**	an imposing building
des contes **choisis**	selected stories
une voix **merveilleuse**	a marvelous voice
une voix extrêmement **jolie**	an extremely pretty voice

Adjectives usually follow the nouns they modify, especially:

(1) adjectives of physical qualities (shape, color, etc.);
(2) adjectives of class (nationality, religion);
(3) participles used as adjectives;
(4) long adjectives and adjectives qualified by long adverbs or by adverbial phrases.

autre, *other*	méchant, *wicked*	jeune, *young*	petit, *small*
bon, *good*	vilain, *ugly*	vieux, *old*	long, *long*
gentil, *nice*	beau, *beautiful*	quel, *what*	court, *short*
mauvais, *bad*	joli, *pretty*	grand, *large*	vif, *lively*

un **gentil petit** garçon	a nice little boy
une **jolie jeune** femme	a pretty young woman

The important adjectives listed above usually precede their noun.

une **jolie petite** maison **blanche**	a pretty little white house
une femme **jolie et instruite**	a pretty and well-educated woman

When two or more adjectives qualify a noun, each adjective follows its particular rule as to position unless they are joined by a conjunction, in which case all must follow the noun if any one of them does so regularly.

un homme **brave**	a brave man
un **brave** homme	a fine, honest man
l'enfant **pauvre**	the poor (*not rich*) child
le **pauvre** enfant	the poor (*to be pitied*) child
un homme **grand**	a tall man
un **grand** homme	a great man
une mort **certaine**	sure death
un homme d'un **certain** âge	a middle-aged man
le tableau **noir**	the blackboard
mes **noirs** chagrins	my deep sorrows
un mouchoir **propre**	a clean handkerchief
mes **propres** yeux	my own eyes

Some adjectives may either follow or precede the nouns they modify. Many follow the rule that if an adjective is used in a literal or distinctive sense, it follows; if it is used in a figurative or emotional sense, it precedes.[1]

In literary prose and poetry a change from the usual position of the adjective is often used to produce various stylistic effects.

29. IRREGULAR ADJECTIVES

Feminine of adjectives.—Some exceptions to the rules for the regular adjectives, which add **e** in the feminine.

1. Masculine adjectives ending in mute **e** do not change:

riche (*m. and f.*) *rich;* facile (*m. and f.*) *easy*

[1] When **dernier,** *last,* and **prochain,** *next,* qualify an object in a series, they precede their nouns. When, however, **dernier** means *just past,* and **prochain** means *approaching,* they follow the nouns:

la **dernière** semaine de l'année	the last week of the year
But: la semaine **dernière (prochaine)**	last (next) week

2. Final **f** > **v**(**e**); **x** > **s**(**e**), **ss**(**e**), or **c**(**e**); **c** > **ch**(**e**) or **qu**(**e**); **g** > **gu**(**e**):

actif, active *active*
heureux, heureuse *happy*
faux, fausse *false*
doux, douce *sweet, gentle*
sec, sèche *dry*
public, publique *public*
long, longue *long*

3. Final **el, eil, ien, on,** and often **s** and **t,** double the final consonant and add **e:**

cruel, cruelle *cruel*
pareil, pareille *similar*
ancien, ancienne *ancient, former*
bon, bonne *good*
gros, grosse *big*
muet, muette *mute*
coquet, coquette *attractive*

4. Other changes are indicated in the following list:

bénin, bénigne *benign*
cher, chère *dear*
favori, favorite *favorite*
frais, fraîche *fresh* (*cool*)
gentil, gentille *nice*
grec, grecque *Greek*
menteur, menteuse *lying*

5. The following adjectives have two masculine singular forms: the one ending in **l** is regularly used only before a vowel or **h** mute:

beau, bel (*beautiful*)
fou, fol (*crazy*)
mou, mol (*soft*)
nouveau, nouvel (*new*)
vieux, vieil (*old*)

un **bel** homme — a handsome man
un **nouvel** ami — a new friend
un **vieil** ami — an old friend

30. DEMONSTRATIVE ADJECTIVES

TABLE

	SINGULAR		PLURAL	
MASC.	**ce** (**cet**)[1]	*this, that*	**ces**	*these, those*
FEM.	**cette**		**ces**	

[1] The demonstrative adjective **cet** is used only before a masculine singular noun beginning with a vowel or **h** mute:

cet ami, *this* (*that*) *friend;* **cet** homme, *this* (*that*) *man*

USE

1. The demonstrative adjective is used to designate a person or thing that one wants to point out in a special way:

ce journal (*m.*)	this (that) newspaper
cet ami (*m.*)	this (that) friend
cette voiture (*f.*)	this (that) car
ces gants (*m. pl.*)	these (those) gloves
ces pièces (*f.pl.*)	these (those) plays

2. Demonstrative adjectives are repeated before the nouns they modify, and agree with them in gender and number:

cet homme et cette femme	this man and woman

3. The suffixes **–ci** (*here*) and **–là** (*there*) are added to the noun qualified by a demonstrative adjective to distinguish between a near object (*this*) and a more distant one (*that*):

Ce chapeau-**ci**	this hat (here)
Ce chapeau-**là**	that hat (there)

The suffixes **–ci** and **–là** are used when needed to avoid any ambiguity. Their use renders the thought more precise.

31. POSSESSIVE ADJECTIVES

TABLE

	M.S.	*F.S.*	*M.F.Pl.*
(je)	mon	ma	mes
(tu)	ton	ta	tes
(il, elle)	son	sa	ses
(nous)	notre	notre	nos
(vous)	votre	votre	vos
(ils, elles)	leur	leur	leurs

USE

1. Adjectives, contrary to English usage, agree with the thing possessed and not with the possessor:

Charles aime mieux **sa** voiture.	Charles prefers his car.
Charlotte aime mieux **sa** voiture.	Charlotte prefers her car.

2. Possessive adjectives are repeated before each noun they qualify:

Mon oncle et **ma** tante sont chez eux.	My uncle and aunt are at home.

3. **Mon, ton, son** are used instead of **ma, ta, sa** before feminine nouns which begin with a vowel or with mute **h:**

Mon amie (*f.*) aime **son** école (*f.*)	My friend likes her school.

4. The definite article often replaces a possessive adjective, especially in referring to parts of the body, clothing, etc., when there is no ambiguity as to the possessor:

J'ai de l'argent plein **les** poches.	I have my pockets full of money.
Levez **la** main.	Raise your hand.

5. Ambiguity is often avoided in the above-mentioned case by the use of a dative personal pronoun before the verb:

Il **s'**est cassé le bras.	He broke his arm (to himself the arm).

6. A single object referring to parts of the body, clothing, etc., common to several possessors, is usually left in the singular in French, thus differing from the English usage:

Les étudiants lèvent **la** main droite.	The students raise their right hands.

7. To express the idea of *my own*, *your own*, *etc.* the preposition **à** plus the stressed[1] personal pronoun is used:

Je préfère me servir de mon stylo **à moi.**	I prefer to use my *own* pen.

DAILY VERBS

écrire (*write*)	écrivant	écrit	écris	écrivis
écrirai	écrivais	avoir écrit		écrivisse
écrirais				

[1] See Unit IX, page 108.

PRES. IND. écris, écris, écrit, écrivons, écrivez, écrivent
PRES. SUBJ. écrive, écrives, écrive, écrivions, écriviez, écrivent

(**décrire,** *describe;* **inscrire,** *inscribe;* **souscrire,** *subscribe*)

mettre (*place, put*)	mettant	mis	mets	mis
mettrai mettrais	mettais	avoir mis		misse

PRES. IND. mets, mets, met, mettons, mettez, mettent
PRES. SUBJ. mette, mettes, mette, mettions, mettiez, mettent

admettre	*to admit*	promettre	*to promise*
commettre	*to commit*	remettre	*to put back*
permettre	*to allow*	soumettre	*to submit*

EXERCICES

I. Exercices sur les verbes: «écrire, mettre»

A. Répétez les phrases suivantes en employant les sujets indiqués:

J'écris une lettre. (Vous, tu, nous, mes parents, votre sœur)
Tu écriras un livre. (Nous, vous, ton frère, les auteurs, je)
J'ai décrit ce pays. (Les journalistes, tu, vous, nous, ce prêtre)
Il faut que vous écriviez mieux. (Nous, les enfants, tu, je, l'étudiant)
Il met la lettre à la poste. (Vous, la secrétaire, les experts, je, tu)
Vous remettrez cette lettre. (Tu, je, nous, l'homme, les directeurs)
Tu as promis de venir. (Nos amis, je, vous, nous, son oncle)
Il faut que je me mette au travail. (Vous, nous, tu, vos camarades, l'infirmière)

B. Dites au conditionnel présent:

Écrivais-tu à tes parents?
Nous inscrivions-nous à l' université?
Souscrivais-tu cette somme?
Mettions-nous l'argent à la banque?
Promettais-tu d'écrire?

II. Exercices sur l'accord de l'adjectif

A. Répétez les phrases suivantes en changeant le sujet:

L'étudiant est intelligent, mais paresseux. (L'étudiante, les étudiants, les étudiantes)
Son petit frère est beau. (Sa petite sœur, ses petits frères, ses petites sœurs)
Son oncle est français. (Sa tante, ses oncles, ses tantes)

B. Accordez l'adjectif donné avec les noms de la phrase:

Exemple: bon —Ce père et cette mère sont très . . .
—Ce père et cette mère sont très bons.

beau —Ce jeune homme et cette jeune fille sont . . .
gracieux —Ces deux sœurs sont . . .
élégant —Ma cousine et sa mère sont . . .
américain —Cet homme et cette femme sont . . .

III. Exercices sur «tout»

A. Ajoutez **tout** dans les phrases données avant l'adjectif:

Exemple: Elle est seule. —Elle est toute seule.

Ces livres sont vieux.
Cette jeune fille est heureuse.
Ce chien est sale.
Cette étudiante est honteuse.
Ces dames étaient surprises.
Nous étions confus.

B. Ajoutez **tout** devant le nom:

Le monde en parle.
Je parle aux étudiants.
Les jours ne se ressemblent pas.
Je dors la nuit.
Vous répondez aux étudiantes.

IV. Exercices sur la place des adjectifs

A. Mettez l'adjectif à la place convenable en commençant la phrase par **voici** et en faisant l'accord nécessaire:

Exemple: rectangulaire . . . tableau.
—Voici un tableau rectangulaire.

robe . . . vert
remarquable . . . travail
américain . . . soldat
livre . . . bon
blond . . . enfant
sec . . . arbre
protestant . . . fille
grand . . . réunion

B. Dites en français:

There is a brave man.
There is an honest man.
There is a middle-aged man.
There is a sure thing.
There is a tall man.
There is a great man.
Look at my clean handkerchief.
Look at my own brothers.

V. **Exercice sur le féminin des adjectifs**

Mettez les phrases suivantes au féminin:

Exemple: Ce vieux monsieur est actif.
—Cette vieille dame est active.

Cet ancien étudiant est mon favori.
Ce garçon est malheureux: il est muet.
Cet homme est faux et menteur.
Mon nouveau camarade est beau.
Mon grand frère est coquet.
Ce bon chien gris est doux.

VI. **Exercice sur les adjectifs démonstratifs**

Dans les phrases suivantes mettez **ce, cette, cet, ces** à la place de **un, une, des:**

Exemple: Un quartier de Paris me plaît.
—Ce quartier de Paris me plaît.

Des pièces sont jouées à Paris maintenant.
Un artiste joue bien.
Je traverse une place publique.
Nous dînons chez des amis.
Un expert a visité une université.

VII. **Exercices sur les adjectifs possessifs**

A. Mettez l'adjectif possessif à la place de l'article en commençant les phrases par **voici:**

Exemple: J'ai un livre et une règle.
—Voici mon livre et ma règle.

J'ai une écharpe rouge.
L'étudiant a une sœur.
Tu as une cravate et un veston.

Elle a une amie française.
Vous avez un sac et des gants.
Nous avons une classe et des professeurs.
Les enfants ont un chat et une chienne.
Les élèves ont des livres et des cahiers.

B. Répondez aux questions suivantes en utilisant l'article défini:
Exemple: Avec quoi ouvrez-vous la porte?
—J'ouvre la porte avec la main.

Avec quoi regardez-vous?
Avec quoi écoutez-vous?
Avec quoi parlez-vous?
Avec quoi sentez-vous?
Avec quoi marchez-vous?
Avec quoi écrivez-vous?

VIII. **Exercices sur les pronoms toniques**

Dans les phrases suivantes, introduisez **à** et le pronom tonique:
Exemple: C'est mon livre. —C'est mon livre à moi.

1. C'est votre frère.
   C'est ton ami.
   C'est notre pays.
   C'est ma maison.

2. C'est la place de Paul; c'est sa place.
   C'est la classe de l'étudiante; c'est sa classe.
   Ce sont les valises de mes sœurs; ce sont leurs valises.
   C'est la maison de mes oncles; c'est leur maison.

THÈME

1. We spent a good day in Paris, an almost international city.
2. I have a dear old friend who would like to spend two months in the United States.
3. This beautiful automobile is very expensive.
4. She stayed home alone every evening.
5. Napoleon was a great man, not a tall man. He was a brave man, but hardly an honest man.
6. Young, cheerful, and studious, such is the atmosphere of the Cité Universitaire.
7. I admire Greek statues.
8. Her voice is very sweet.
9. This coming year will be a very profitable one.
10. Robert already has a large number of friends, either in the Fondation des États-Unis or in the Maison des Provinces de France.

"MONÔME"

unit 8

32. RELATIVE PRONOUNS
33. INDEFINITE ADJECTIVES
AND PRONOUNS

DAILY VERBS: *voir*
lire
recevoir

Le Quartier latin

Cher Maître,

Je rentre à l'instant du «boul' Mich'».[1] Le Quartier latin était en effervescence en ce jour d'octobre, celui des inscriptions. Je suis allé, dès huit heures du matin, à la faculté des lettres où nombre d'étudiants faisaient déjà la queue. J'en suis parti au bout de deux heures d'attente, 5 pendant lesquelles je me suis bien amusé. Les étudiants n'aiment pas attendre et plus d'un essayait de «resquiller»[2] quelquefois avec succès. Malgré un peu de bousculade et de «chahut», je suis tout de même arrivé à me faire inscrire aux cours de grammaire et de littérature classique ainsi qu'à une série de conférences sur la littérature moderne 10 et contemporaine qui vont bien occuper mes journées. Ce qui m'a

[1] «**boul' Mich'**»: boulevard Saint-Michel, which is the main thoroughfare and heart of the Latin Quarter, the student quarter of Paris. The great schools are all located here. Latin used to be the official language of the University of Paris, hence the name of this district. [2] «**resquiller**» (student slang), *to sneak ahead of one's place in line.*

surpris, c'est que nous ne sommes pas tenus d'assister aux cours. Tout ce qu'on nous demande, c'est de prendre part aux travaux pratiques et de nous présenter aux examens de fin d'année. Je vais, néanmoins, me soumettre à une stricte discipline, pour ne pas «sécher»[1] les classes, car je ne suis pas venu en France pour manquer une aussi bonne occasion de m'instruire.

Après les inscriptions, nous sommes allés prendre «un pot»[2] quelques étudiants et moi. J'étais intrigué par mes nouveaux camarades de faculté qui m'appelaient le «bizuth ricain». Ils m'ont expliqué qu'un «bizuth» est un nouvel étudiant et que «ricain» est une abréviation pour «américain». Me voilà ainsi baptisé!!! De la terrasse du café, nous avons assisté à un interminable défilé de potaches (jeunes lycéens) et j'étais très fier de ne plus être classé dans cette catégorie.

Ce «boul' Mich'» est vraiment le cœur du quartier des écoles. Dans ce secteur de la capitale la plupart des bâtiments sont, soit de très anciens lycées, tels que Louis-le-Grand, Henri IV, Saint-Louis, soit des facultés, telles que la «Fac» de droit, la «Fac» de médecine et la Sorbonne, mon nouveau domaine, qui abrite la «Fac» des lettres.

Toutes les vitrines dans les magasins d'alentour affichent «la rentrée des classes» et j'ai déjà acheté chez Gibert et aux Presses Universitaires quelques-uns des livres dont j'aurai besoin. Il me reste maintenant à les lire et à les assimiler.

Tard, dans la matinée, j'ai assisté à un monôme d'étudiants qui venaient de terminer leurs examens écrits et qui se promenaient sur le «boul' Mich'» en arrêtant la circulation et en taquinant les passants ou les consommateurs aux terrasses des cafés. Ils marchaient en file indienne, chaque étudiant avait le bras tendu et la main posée sur l'épaule du camarade qui le précédait. La police n'a pas tardé à arriver et à disperser rapidement le groupe. Pour être tout à fait «dans le vent»[3], il va falloir que j'apprenne le répertoire des chansons d'étudiants.

Après cette matinée bien remplie, je me suis dépêché de rentrer à la Cité Universitaire, ce qui ne me prend pas plus de dix minutes par le métro. Quelquefois, au lieu de m'engouffrer dans la station de métro Luxembourg pour retourner chez moi, je vais me promener dans le magnifique jardin du même nom.

Dès que je verrai M. Coquery, je ne manquerai pas de lui faire part du contenu de votre lettre, reçue il y a trois jours et qui m'a fait un bien grand plaisir.

Permettez-moi, cher Maître, de terminer cette longue missive en vous assurant de mes sentiments très respectueux.

Robert Martin

[1] **«sécher»** (student slang), *to cut.* [2] **«un pot»** (student slang), *a drink.*
[3] **«dans le vent»** "*in the swing*", *very up to date.*

CHOIX D'EXPRESSIONS

à l'instant	(at) this very moment
assister à	to attend
faire plaisir (**à**)	to please
faire la queue	to stand in line
il y a + *time word*	. . . ago
tout de même, quand même	in spite of all, anyhow
être tenu de + *inf.*	to be obliged to

QUESTIONNAIRE

1. D'où Robert Martin rentre-t-il à l'instant? 2. Pourquoi le Quartier latin était-il en effervescence? 3. Où est-il allé à 8 heures du matin? 4. A quels cours Robert Martin s'est-il inscrit? 5. A quoi a-t-il l'intention de se soumettre? 6. Qu'a-t-il fait après les inscriptions? 7. Quel surnom ses condisciples lui ont-ils donné? 8. Quels bâtiments trouve-t-on dans le Quartier latin? 9. Où Robert Martin a-t-il acheté des livres? 10. A quoi a-t-il assisté? 11. Que doit-il apprendre pour être «dans le vent»? 12. Dans quel jardin se promène-t-il souvent?

MISE AU POINT GRAMMATICALE

32. RELATIVE PRONOUNS

TABLE

USE	PERSONS	THINGS	INDEFINITE
SUBJECT	**qui** (*who*)	**qui** (*that, which*)	**ce qui** (*what*)
OBJECT	**que** (*whom*)	**que** (*that, which*)	**ce que** (*what*)
AFTER A PREPOSITION[1]	**qui** (*whom*)	**lequel** (*m.*) **laquelle** (*f.*) **lesquels** (*m.pl.*) **lesquelles** (*f.pl.*) (*which*)	

1. The relative pronouns divide mainly on the basis of **qui** for the subject and **que** for the object.
2. **Lequel** and **lesquels, lesquelles** with **à** and **de** become **auquel, auxquels, auxquelles** and **duquel, desquels, desquelles.**

[1] See also **dont, quoi,** and **où** on pages 96–97.

USE

C'est l'homme **qui** m'a vu.	This is the man who saw me.
C'est l'homme **que** j'ai vu.	This is the man whom I saw.
C'est l'homme avec **qui** je suis venu.	This is the man with whom I came.
C'est la voiture dans **laquelle** je suis venu.	This is the carriage in which I came.

Qui is the subject, **que** the object of the verb for both persons and things. After prepositions, **qui** is generally used for persons, **lequel** for animals and things (when the antecedent is definite).

C'est la personne avec **laquelle** (avec **qui**) je suis venu.	This is the person with whom I came.
C'est l'oncle de Marie, **lequel** est malade.	This is the uncle of Mary, who is ill.

Lequel, laquelle, etc., are used occasionally for persons after prepositions,[1] and to prevent ambiguity.

Dites-moi **ce qui** est arrivé.	Tell me what happened.
Je ne comprends pas **ce que** vous voulez dire.	I do not understand what you mean.

The English relative pronoun *what* is translated in French by **ce qui** when used as the subject and **ce que** when used as the object.

Voici l'étudiant **dont** je parlais.	Here is the student of whom I was speaking.
Voici l'étudiant **dont** vous avez vu le père.	Here is the student whose father you saw.
Voici l'étudiant au père **duquel** vous parliez.	Here is the student to whose father (to the father of whom) you were speaking.

Dont[2] is commonly used instead of **de qui** or **duquel** for *of whom*, *of which*, *whose.* When depending on a noun governed by a preposition, **duquel** or **de qui** must be used instead of **dont.**

[1] **Lequel** is regularly used instead of **qui** after **parmi** and **entre:** Je vois beaucoup de soldats, parmi **lesquels** se trouvent des Américains. *I see many soldiers, among whom are some Americans.*

[2] **Dont** ordinarily follows directly its antecedent in a sentence, and is followed directly by the subject of the clause, as: L'étudiant **dont** vous avez vu le père, *The student whose father you saw.*

Je sais à **quoi** vous pensez.	I know what you are thinking of.

Quoi, *what, which,* is used after prepositions when the antecedent is indefinite.[1]

Voici la maison **où** il demeure.	Here is the house in which he lives.

Où, *where,* as in English frequently replaces a relative pronoun preceded by a preposition meaning *to, at, in.*

33. INDEFINITE ADJECTIVES AND PRONOUNS

Some of the indefinites are used as adjectives only, others as pronouns only, while some have both uses. A few of the most common forms are:

ADJECTIVES (only):

chaque, *each, every*
quelque(s), *some* (*pl.* = *a few*)
quelconque(s) (placed after noun), *of some kind or other*

chaque homme, *each man;* **quelques** pommes, *a few apples;* un homme **quelconque,** *any man whatever*

PRONOUNS (only):

chacun(e), *each one*
quelqu'un(e), *someone, somebody, anyone*
quelques-uns (-unes), *some, a few*
quelque chose,[2] *something*
on,[3] *one* (indefinite, *they, we*)

personne, *nobody*
rien, *nothing*
quiconque, *whoever*

Chacun pour soi.	Each one for himself.
(*Plumes*) J'en ai acheté **quelques unes.**	(*Pens*) I bought some of them.
Si l'**on** dit cela, **on** ment.	If people say that, they lie.
Personne n'est venu.	Nobody came.
Quiconque entrera je le tuerai.	Whoever enters I will kill him.

[1] **Dont** may also be used for **de quoi,** as: Voilà ce **dont** il a besoin. *That is what he needs.*

[2] **Chose** is usually feminine; but **quelque chose** is masculine.

[3] After **si, que,** and a few other words, **l'** is often inserted before **on** to prevent hiatus.

Quelqu'un, quelque chose, personne, and **rien** require **de** before an adjective:

J'ai vu **quelque chose de** joli.	I saw something pretty.
Je n'ai **rien de** bon.	I have nothing good.

ADJECTIVES OR PRONOUNS:

aucun(**e**), *some, any;* (with **ne,** *no, none*)
nul(**le**) . . . **ne,** *no, none, not one*
tel(**le**), *such* (*a*), *like, such a one*
tout(**e**),[1] **tous, toutes,** *each, every, whole, all*

Aucun ami **n'**est venu me voir,—**aucun.**	No friend came to see me,—not one.
Un **tel** homme.	Such a man.
Tous les soldats sont braves,—**tous.**[2]	All of the soldiers are brave,—all of them.

DAILY VERBS

voir (*see*)	voyant	vu	vois	vis
verrai	voyais	avoir vu		visse
verrais				

PRES. IND. vois, vois, voit, voyons, voyez, voient
PRES. SUBJ. voie, voies, voie, voyions, voyiez, voient

(**revoir,** *see again*)

lire (*read*)	lisant	lu	lis	lus
lirai	lisais	avoir lu		lusse
lirais				

PRES. IND. lis, lis, lit, lisons, lisez, lisent
PRES. SUBJ. lise, lises, lise, lisions, lisiez, lisent

(**élire,** *elect*)

[1] Note the following uses of **tout: tout le monde,** *everybody;* **tous les hommes,** *all men;* **tous les jours,** *every day,* **toute la maison,** *the whole house.*
[2] As a pronoun, the **s** of **tous** is pronounced; as an adjective, it is silent.

recevoir (*receive*)	recevant	reçu	reçois	reçus
recevrai	recevais	avoir reçu		reçusse
recevrais				

PRES. IND. reçois, reçois, reçoit, recevons, recevez, reçoivent
PRES. SUBJ. reçoive, reçoives, reçoive, recevions, receviez, reçoivent

(**apercevoir,** *perceive;* **concevoir,** *conceive;* **décevoir,** *deceive.*)

EXERCICES

I. Exercices sur les verbes: «voir, lire, recevoir»

A. Répétez les phrases suivantes en employant le sujet indiqué:

Je lis le journal. (Tu, nous, vous, les étudiants, ce monsieur)
Tu liras la lettre. (Ma mère, je, nous, ses parents, vous)
Il faut que vous lisiez ce livre. (Je, nous, tu, le professeur, les élèves)
Il a lu le télégramme. (Nous, tu, je, vous, les experts)
Vous avez vu le Quartier latin. (Je, ces étrangers, le lycéen, tu, nous)
Je vois mes amis. (Tu, les enfants, ma sœur, nous, vous)
Je verrai un film. (Nous, vous, mes amis, tu, cette dame)
Il faut que cet homme voie Paris. (Tu, nous, vous, je, tes frères)
Je reçois des nouvelles. (Tu, nous, vous, les journalistes, le directeur)
Les enfants recevront des bonbons. (Ma mère, tu, nous, je, vous)
Tu as reçu des amis. (Vous, nous, je, ma famille, ces gens)
Il faut que je reçoive de l'argent. (Nous, tu, les voyageurs, ton oncle, vous)

B. Mettez les phrases suivantes au plus-que-parfait et au conditionnel passé:

Exemple: Si j'allais au cinéma, je verrais un film français.
—Si j'étais allé au cinéma, j'aurais vu un film français.

Si vous achetiez un livre, vous le liriez.
Si les étudiants recevaient de bonnes notes, ils seraient contents.
Si tu visitais Paris, tu verrais la Tour Eiffel.
Si vous saviez le français, vous liriez des romans intéressants.
Si ses amis venaient, mon père les recevrait.

II. Exercices sur les pronoms relatifs

A. Introduisez **Voilà . . . qui** dans les phrases suivantes:

Exemple: Le professeur nous enseigne le français.
—Voilà le professeur qui nous enseigne le français.

Le quartier m'intéresse.
La jeune fille est mon amie.
Les pèlerins vont à Lourdes.
L'expert a visité l'Amérique.
L'université me plaît.
Les facultés sont à Paris.

B. Introduisez **Voici . . . que** dans les phrases suivantes:

Exemple: J'aime le pays. —Voici le pays que j'aime.

Tu as vu le film.
Ils ont fait les exercices.
Nous avons invité les étrangers.
Elle a rencontré le lycéen.
Je trouve le jardin magnifique.
Vous avez lu la leçon.

C. Commencez les phrases suivantes par **c'est** ou **ce sont,** en remplaçant l'adjectif démonstratif par un article défini et en introduisant le pronom relatif:

Exemple: J'écris avec ce crayon.
—C'est le crayon avec lequel j'écris.

Il s'assied dans ce fauteuil.
Ta mère pense à cette lettre.
Vous vous promenez dans ces jardins.
Elles sont devant cette fenêtre.
Tu travailles sur cette table.
J'habite derrière ces maisons.

D. Transformez ces questions en commençant par **Dites-moi:**

Exemple: Qu'est-il arrivé?
—Dites-moi ce qui est arrivé.

Que mangez-vous?
Que font-ils?
Que faisons-nous ici?
Que se passe-t-il?
Qu'est-ce qui vous plaît?
Que dis-tu?

III. Exercices sur «dont»

A. Introduisez **dont** dans les phrases suivantes. N'oubliez pas de remplacer l'adjectif possessif par l'article:

Exemple: J'ai acheté une robe; ses manches sont longues.
—J'ai acheté une robe dont les manches sont longues.

C'est mon ami; son père est directeur de banque.
Paris est une ville; ses monuments sont intéressants.
Il a deux sœurs; leurs cheveux sont blonds.
Tu vois la Tour Eiffel; sa hauteur est de 312 mètres.

B. Transformez les phrases suivantes en questions commençant par **est-ce.** N'oubliez pas de remplacer l'adjectif démonstratif par l'article défini:

Exemple: Vous souvenez-vous de ce pays?
—Est-ce le pays dont vous vous souvenez?

Parlez-vous de ce livre?
Êtes-vous satisfait de ce résultat?
Êtes-vous fier de ce diplôme?
Sommes-nous contents de cette nouvelle?

C. Refaites les phrases suivantes en les commençant par **Montrez-moi.** N'oubliez pas de remplacer l'adjectif démonstratif par l'article défini en introduisant **«où»:**

Exemple: Il travaille dans ce bureau.
—Montrez-moi le bureau où il travaille.

Nous faisons des exercices dans ce laboratoire.
Elle demeure dans cette maison.
Elles font leurs achats dans ces magasins.
Vous étudiez dans cette université.
Nous avons notre cours dans cette salle.

IV. **Exercices sur les pronoms indéfinis:**

A. Dans les phrases suivantes, mettez un pronom indéfini à la place de l'adjectif indéfini et du nom:

Exemple: Chaque fillette a une poupée.
—Chacune a une poupée.

Tous les étudiants parlent français.
Chaque enfant a une mère.
Certains professeurs sont très sévères.
Toutes les jeunes filles sont coquettes.
Plusieurs jeunes gens aiment danser.

B. Répondez en mettant **personne** ou **rien:**

Exemple: Entendez-vous quelqu'un?
—Je n'entends personne.
—Entendez-vous quelque chose?
—Je n'entends rien.

Savez-vous quelque chose?
Parlez-vous à quelqu'un?
A-t-il quelque chose?
Recevez-vous quelqu'un?
Désirez-vous quelque chose?

THÈME

1. Each one has the right to express his opinion.
2. Someone has said "L'appétit vient en mangeant."
3. I have something interesting to tell you.
4. Nothing is perfect.
5. He used to go out early every morning.
6. The village in which George Washington was born is near Washington.
7. The professor has a red pencil with which he corrects the homework.
8. The friends whose acquaintance Robert has made, find him very congenial.
9. Robert writes each week in order that his teacher may know what he is doing in Paris.
10. Robert is not the one (*celui*) who is going to cut his classes.

CAFE
RESTAURANT

MONTMARTRE

unit 9

34. PERSONAL PRONOUNS
35. NEGATION

DAILY VERBS: *boire*
connaître
plaire

Chez Marianne

Cher Maître,

Bien que l'ambiance de la Cité Universitaire et celle du Quartier latin me plaisent, j'éprouve parfois le désir de voir ce qui se passe dans d'autres quartiers de Paris. Je me suis informé auprès d'un de mes bons camarades, Jacques Mérie, qui connaît Paris comme sa poche. 5
Il a eu la gentillesse de m'indiquer un restaurant parisien qui a parfaitement répondu à mon attente. Puisque vous avez bien voulu me dire que mon journal vous intéresse, je vous en envoie un autre extrait qui raconte les événements d'une «soirée formidable» que j'ai passée à Montmartre. 10

Je vous prie de croire, cher Maître, à l'expression de mes sentiments respectueusement dévoués.

Robert Martin

Extrait du journal de Robert Martin

ROBERT. Dites-donc, Jacques! Si vous connaissez, par hasard, un restaurant soit à Montmartre, soit à Montparnasse où il n'y ait que des Parisiens, indiquez-le-moi, je vous prie, car j'ai une envie folle de passer une soirée loin des livres et des professeurs.

5 JACQUES. Vous avez bien fait de vous adresser à moi. J'ai justement votre affaire. Allez dîner «Chez Marianne» à Montmartre. Vous m'en direz des nouvelles. On n'y rencontre pas d'étrangers, en tout cas, presque jamais.

Après avoir remercié mon ami, j'ai sauté dans un taxi qui m'a amené
10 sur la butte et m'a déposé à la porte d'un petit restaurant typiquement parisien. Une jolie terrasse miniature, ornée de caisses de fleurs, m'invitait à entrer et confirmait mon impression qu'en fait de restaurants, Jacques s'y connaissait bien.

Sur le seuil de la porte, le gérant m'a accueilli avec le sourire. Tout
15 en me souhaitant la bienvenue dans sa «petite république», comme il disait, il m'a exprimé son grand regret de ne pas avoir de place à m'offrir au rez-de-chaussée. Il m'a assuré que je trouverais, au premier, une bonne table libre, et, de plus il m'a promis de me confier aux soins d'un de ses garçons les plus compétents. Je l'ai donc suivi au
20 premier où il m'a confortablement installé, le dos au mur, sur une banquette de velours. En effet, c'était bien plus calme qu'en bas, il y avait plus de place, moins de bousculade et un coup d'œil rapide m'a révélé que j'étais le seul étranger. J'allais donc avoir le plaisir d'étudier à la fois la cuisine et les mœurs françaises.

25 J'étais sur le point d'appeler le maître d'hôtel quand je l'ai vu s'approcher. C'était un diplomate et un psychologue. Il prévoyait si bien mes goûts que le choix d'un menu qui, en France, est parfois très compliqué a été, grâce à lui, on ne peut plus simple.

Ensuite, le maître d'hôtel a passé ma commande au garçon qui, lui
30 aussi, était un véritable artiste. Il m'a fait comprendre, dès son arrivée, qu'il allait apporter un soin tout particulier au service de mon repas. Aux yeux d'un Français, préparer et servir un bon dîner est une affaire d'état ou peu s'en faut.

En attendant d'être servi, j'ai eu le loisir de regarder autour de moi.
35 Les clients avaient tous l'air d'apprécier les mets délectables. Tout le monde buvait du vin, mais, chose remarquable, personne n'en buvait trop.

Soudain, mes yeux se sont posés sur une inscription flamboyante au centre du mur du fond. Elle proclamait en lettres rouges énormes cet
40 appel révolutionnaire:

ALLONS, ENFANTS DE LA PATRIE
LE JOUR DE BOIRE EST ARRIVÉ!

C'était, sans doute, le cri de guerre de la «petite république».
Et puis, j'ai remarqué, encadrés et accrochés au mur, des documents qui dataient de la Révolution Française. Des objets d'époque donnaient de la couleur locale à la salle.
Enfin, mon dîner est arrivé. Quel service et quel repas! C'est 5 alors que je me suis rendu compte qu'en France la cuisine était vraiment un art. Je vous épargne les détails, mais vous pouvez me croire, si je vous avoue franchement que je n'ai jamais rien goûté de si délicieux ni de si savoureux de ma vie. Il n'y a aucun doute à cet égard: «Sur le pont d'Avignon, l'on y danse, l'on y danse», mais, «Chez Marianne», 10 l'on y mange, l'on y mange.

ROBERT. Garçon, l'addition s'il vous plaît.

LE GARÇON. Je vous l'apporte tout de suite, Monsieur.

ROBERT. Si le gérant est libre, envoyez-le moi, je vous prie. J'ai un mot à lui dire. 15

LE GARÇON. Je vous l'envoie à l'instant, Monsieur. Tiens, justement, le voilà.

ROBERT. Pourrais-je adresser à Madame Marianne toutes mes félicitations pour ce bon dîner?

LE GÉRANT. Mais, il n'y a pas de Marianne, Monsieur. Aux États- 20 Unis, quand on parle du gouvernement, on l'appelle «Uncle Sam», en Angleterre, on dit «John Bull». En France, on l'appelle «Marianne». C'est ici notre petite république de la bonne cuisine «Chez Marianne».

ROBERT. Eh bien, on apprend du nouveau tous les jours. Merci, 25 Monsieur.

CHOIX D'EXPRESSIONS

avoir (son) affaire	to have just what one wants
avoir l'air (de)	to appear, seem, look like
connaître Paris comme sa poche	to know Paris extremely well
se connaître en (à), s'y connaître bien	to be a good judge of, to be an expert
de plus	besides, moreover
de temps en temps	occasionally
en effet	as a matter of fact, sure enough
en fait de	in the matter of, on the subject of
en tout cas	at any rate

se passer	to take place, happen, be spent
peu s'en faut	almost, very nearly so
être sur le point de	to be about to
tiens !	look here! well!
tout de suite	right away
vous m'en direz des nouvelles	you'll be agreeably surprised, you'll be delighted
on ne peut plus	as . . . as possible

QUESTIONNAIRE

1. Quel désir Robert Martin éprouve-t-il quelquefois? 2. Qu'a-t-il demandé à Jacques Mérie? 3. Quel restaurant Jacques Mérie lui a-t-il indiqué? 4. De quoi la terrasse du restaurant était-elle ornée? 5. Qui a accueilli Robert Martin à la porte du restaurant? 6. A quel étage Robert a-t-il trouvé une table libre? 7. Qu'est-ce qu'un coup d'œil lui a révélé? 8. Comment était le maître d'hôtel? 9. Qui a fait le service? 10. Quelle inscription y avait-il sur le mur? 11. Qu'est-ce qui donnait de la couleur locale à la salle? 12. Quel est le surnom de la République Française?

MISE AU POINT GRAMMATICALE

34. PERSONAL PRONOUNS

TABLE OF SUBJECT, CONJUNCTIVE,[1] AND STRESSED[2] PERSONAL PRONOUNS

Subject	Conjunctive		Stressed (Disjunctive)	
	direct object	indirect object		
je	**me**	**me**	**moi**	
tu	**te**	**te**	**toi**	**en**
il, elle	**le, la, se**	**lui, se**	**lui, elle, soi**	**y**
nous	**nous**	**nous**	**nous**	
vous	**vous**	**vous**	**vous**	
ils, elles	**les, se**	**leur, se**	**eux, elles**	

[1] Joined to the verb. [2] The traditional name for these pronouns is "disjunctive."

SENTENCE POSITION

1. Voici le livre.	Here is the book.
Il **le leur** donne.	He gives it to them.
Ne **le leur** donnez pas.	Do not give it to them.
Donnez-**le-leur.**	Give it to them.

Conjunctive pronouns used as direct or indirect objects of the verb always precede it, except in the imperative affirmative, when they follow.[1] No word may come between a verb and its pronoun object.

2. Voici des fleurs.	Here are some flowers.
Il **leur en** donne.	He gives them some.
Donnez-**leur-en.**	Give them some.
Allez-vous à Paris? J'**y** vais.	Are you going to Paris? I am going there.
N'**y** allons pas.	Let us not go there.

En, *of it*, *from it*, *of them*, *some*, *any*, and **y,** *to it*, *to them*, *there*,[2] follow the same rules for sentence position as the conjunctive object pronouns.

ORDER

1. Order before verb or auxiliary[3].

{**me**, **te**, **se**, **nous**, **vous**} before {**le**, **la**, **les**} before {**lui**, **leur**} before **y** before **en** (verb or auxiliary)

i.e., 1st, 2nd, 3rd person, **lui, leur, y, en** (verb or auxiliary)

Voici les livres.	Here are the books.
Il **nous les** donne.	He gives them to us.
Il apporte le livre à mes amis à Paris.	He brings the book to my friends in Paris.
Il **le leur y** apporte.	He brings it to them there.
Y a-t-il des fleurs?	Are there any flowers?
Il **y en** a.	There are some.

[1] For their order, see (order) 1 and 2. [2] When the word *there* refers to a place already mentioned, it is usually **y;** otherwise it is **là**, especially when the speaker points. [3] The conjunctive object pronouns (and **en**) precede **voici** and **voilà,** as: **le voilà,** *there he is;* **en voici,** *here are some.*

2. Order after verb (imperative affirmative):

Voici le livre.	Here is the book.
Envoyez-**le-leur.**	Send it to them.
Voici des fleurs.	Here are some flowers.
Envoyez-**leur-en.**	Send them some.

Verb + direct object + indirect object (with **en** and **y** after the pronoun objects).

Voici le livre.	Here is the book.
Donnez-**le-moi.**	Give it to me.
Voici des fleurs.	Here are some flowers.
Donnez-**m'en.**	Give me some.

The forms **moi** and **toi** are used after the verb for **me** and **te,** except before **en** and **y,** when **m'** and **t'** are used.

35. NEGATION

When the verb is given, the most common negatives are:

ne . . . pas, *not*	**ne . . . rien,** *nothing*
ne . . . point, *not at all*	**ne . . . personne,** *nobody, no one*
ne . . . plus, *no more, no longer*	**ne . . . aucun / nul** *not any, none*
ne . . . jamais, *never*	
ne . . . guère, *scarcely*	**ne . . . ni . . . ni,** *neither . . . nor*
ne . . . que, *only*	

POSITION:

Je **n'**ai **guère** d'argent; je **n'**ai apporté avec moi **que** deux francs.	I have scarcely any money; I have brought with me only two francs.
Je **n'**ai **rien** vu.	I saw nothing.
Je **n'**ai vu **personne.**	I saw nobody.

In simple tenses, **ne** comes before the verb (separated from it only by the personal pronoun objects); the second part of the negation follows the verb. In compound tenses, **ne** precedes the auxiliary, and the second negative word (**pas, rien,** etc.) comes between the auxiliary and the past participle, with the exception of **personne, que, aucun, nul,** and **ni . . . ni,** which regularly come after the past participle. **Pas** is omitted when any other negative is used.

1. **Personne**[1] **n'**est venu.	Nobody came.
Rien n'est arrivé.	Nothing happened.

[1] **Personne** as a noun is feminine; as a pronoun (as in the present case) it is masculine.

When the second part of the negation precedes the verb, **ne** is still used before the verb.

2. Il continue à **ne rien** dire et à **ne** voir **personne.**	He continues to say nothing and to see nobody.
Être ou **ne pas** être (*or* **n'**être **pas**).	To be or not to be.

Both parts of the negatives **ne . . . pas, ne . . . rien,** and **ne . . . plus,** when used with an infinitive, usually precede it; **que** and **personne** follow it. When used with **avoir** or **être, pas, point,** and **plus** may either precede or follow.

Ne may be used without **pas** or **point** with certain verbs, especially **oser, cesser, pouvoir, savoir:**

Je **n'**ose dire la vérité.	I do not dare tell the truth.
Je **ne** saurais vous le dire.	I could not (cannot) tell you.

When the verb is understood but not expressed, the second part of the negative is used alone to express negation:

Que voyez-vous?—**Rien.**	What do you see?—Nothing.
Qui voyez-vous?—**Personne.**	Whom do you see?—Nobody.

DAILY VERBS

boire (*drink*)	buvant	bu	bois	bus
boirai	buvais	avoir bu		busse
boirais				

PRES. IND. bois, bois, boit, buvons, buvez, boivent
PRES. SUBJ. boive, boives, boive, buvions, buviez, boivent

connaître (*know*)	connaissant	connu	connais	connus
connaîtrai	connaissais	avoir connu		connusse
connaîtrais				

PRES. IND. connais, connais, connaît, connaissons, connaissez, connaissent
PRES. SUBJ. connaisse, connaisses, connaisse, connaissions, connaissiez, connaissent

(**paraître,** *appear;* **reconnaître,** *recognize*)

plaire (*please*)	plaisant	plu	plais	plus
plairai	plaisais	avoir plu		plusse
plairais				

PRES. IND. plais, plais, plaît, plaisons, plaisez, plaisent
PRES. SUBJ. plaise, plaises, plaise, plaisions, plaisiez, plaisent

(**se taire,** *be silent;* **il se tait** *has no circumflex.*)

EXERCICES

I. Exercices sur les verbes: «boire, connaître, plaire,» etc.

A. Répétez les phrases suivantes en employant les sujets indiqués:

Je bois du vin. (Tu, vous, nous, les Français, cet homme)
Tu plais au professeur. (Ton travail, tes devoirs, je, nous, vous)
Vous connaissez Paris. (Tu, nous, je, ce voyageur, mes frères)

B. Mettez au pluriel:

Tu connaîtras la France.
Je connaîtrai l'Amérique.
Il connaîtra ce pays.
Je boirai de l'eau.
Il boira du café.
Tu boiras du thé.
Tu plairas à tes amis.
Je plairai à ce directeur.
Cette fleur te plaira.

C. Mettez les phrases suivantes au plus-que-parfait et au conditionnel passé:

Exemple: Si tu visitais la France, tu connaîtrais Paris.
—Si tu avais visité la France, tu aurais connu Paris.

Si vous lisiez ces livres, ils vous plairaient.
Si nous avions soif, nous boirions.
Si je voyais ce monument, il me plairait.
Si je voyais cet homme, je le reconnaîtrais.

D. Mettez les phrases suivantes à l'imparfait:

Exemple: J'ai connu cet homme.
—Je connaissais cet homme.

Vous avez connu ce professeur.
Nous avons bu du lait.
Ces artistes m'ont plu.
Vous avez bu du champagne.

E. Commencez les phrases suivantes par **il faut** et mettez le verbe au subjonctif présent:

Exemple: Ce journal vous plaît.
—Il faut que ce journal vous plaise.

Nous buvons assez.
Nous connaissons un bon restaurant.
Cette jeune fille lui plaît.
Vous buvez moins.
Tu connais les monuments parisiens.

II. Exercices sur les pronoms personnels

A. Répondez aux questions suivantes en commençant par **oui, je . . .** et en mettant un pronom personnel à la place du nom:

Exemple: Prenez-vous la commande?
—Oui, je la prends.

Voyez-vous ce restaurant?
Aimez-vous la cuisine française?
Admirez-vous les fleurs?
Saluez-vous le gérant?

B. Répondez aux questions suivantes à la forme affirmative et en remplaçant les noms par des pronoms:

Exemple: Les maîtres remettent-ils les notes au directeur?
—Oui, ils les lui remettent.

L'étudiant donne-t-il le devoir au professeur?
Le client demande-t-il l'addition au garçon?
L'enfant offre-t-il les fleurs à sa mère?
Passez-vous les livres à vos camarades?

C. Répondez aux questions suivantes et en introduisant le pronom **en** et en commençant par **oui:**

Exemple: Donnons-nous des bonbons aux enfants?
—Oui, nous leur en donnons.

Servons-nous du café à nos amis?
Posons-nous des questions à notre professeur?
Offrons-nous des cadeaux à notre mère?
Prêtons-nous de l'argent à nos camarades?

D. Répondez aux questions suivantes en introduisant le pronom **y:**

Exemple: Faites-vous attention à votre travail?
—J'y fais attention.

Répondez-vous aux lettres?
Pensez-vous à votre pays?
Croyez-vous à cette nouvelle?
Assisterez-vous à cette réunion?
Renoncez-vous à ce projet?

E. Dans les phrases suivantes, remplacez les noms par des pronoms personnels:

Exemple: Vous envoyez des lettres à vos parents.
—Vous leur en envoyez.

Vous envoyez des fleurs à cette dame.
Vous envoyez des cigarettes à votre père.
Vous envoyez des cartes postales à vos camarades.
Envoyez des vêtements à vos neveux.
Envoyez de l'argent à votre sœur.

F. Modifiez les phrases suivantes en les commençant par **Donnez,** en employant le pronom **en** et en les terminant par **s'il vous plaît:**

Exemple: Je veux des pommes.
—Donnez-m'en, s'il vous plaît.

Le garçon désire des pêches.
La petite fille demande des bonbons.
Nous voudrions des timbres.
Les enfants réclament des fruits.
Je voudrais de la tarte.

III. Exercice sur pronoms adverbiaux «en» «y» :

(**en** = de cette place; **y** = à cette place.)

Répondez aux questions suivantes en remplaçant les noms par des pronoms:

Exemple: Venez-vous de la maison?—J'en viens.
Allez-vous à la maison?—J'y vais.

Allez-vous souvent au théâtre?
Revenez-vous de voyage?
Sortez-vous de l'école?
Êtes-vous à la maison?

IV. Exercices sur la négation

A. Répondez aux questions suivantes en utilisant **ne** (seul):

Exemple: Osez-vous dire la vérité?
—Je n'ose dire la vérité.

Pouvez-vous dire ce que c'est?
Peut-il répondre?
L'enfant cesse-t-il de crier?
Ose-t-elle demander cela?

B. Introduisez **ne . . . guère** dans les phrases suivantes:

Exemple: Cet étudiant a peu d'argent.
—Cet étudiant n'a guère d'argent.

Cette étudiante a peu de temps.
Nous écrivons peu.
Tu lis peu.
Ces Américains n'ont pas beaucoup d'amis en France.
Vous n'allez pas souvent au cinéma.

C. Introduisez **ne . . . jamais** dans les phrases suivantes:

Exemple: Il sait toujours ses leçons.
—Il ne sait jamais ses leçons.

Mon amie répète toujours la même chose.
Cet enfant rit tout le temps.
Cette dame salue toujours.
Ma mère fait souvent des visites.

D. Reprenez les phrases suivantes en les commençant par **maintenant** et en introduisant **ne . . . plus:**

Exemple: Il a beaucoup voyagé autrefois.
—Maintenant, il ne voyage plus.

Ce vieux monsieur a travaillé autrefois.
Vous voyagiez autrefois.
Tu chantais autrefois.
Cette dame a su le français autrefois.
Ma mère jouait du violon autrefois.

E. Répétez les phrases suivantes en introduisant: **ne . . . que:**

Exemple: Ce garçon parle seulement le français.
—Ce garçon ne parle que le français.

Ce garçon écrit seulement à sa mère.
Vous avez vu seulement Paris.
Ces experts ont visité seulement l'Amérique.
Ce professeur travaille seulement le matin.

THÈME

1. They just told me the bad news. Don't tell it to him.
2. I don't want to tell it to you.
3. What beautiful peaches! Pass me some, please.
4. I bought only two books in Paris.
5. Who is there? Nobody.
6. We looked everywhere but we saw nobody.
7. Let us not go there.
8. We have scarcely any money; we have brought with us only two francs.
9. If you don't want to go there, tell me so (it).
10. I shall see him as soon as I arrive there.

WAITING AT THE STARTING LINE

unit 10

36. STRESSED PERSONAL PRONOUNS
37. COMPARISON OF ADJECTIVES AND ADVERBS

DAILY VERBS: *courir*
naître
battre

Le Tour de France

Cher Maître,

Vous souvenez-vous de ce voyage inoubliable que j'ai fait à Lourdes? Eh bien! Étant dans le Midi, j'ai voulu profiter de l'occasion pour aller rendre visite à mon camarade Claude Dubois qui demeure à Marseille. Vous vous rappelez Claude, n'est-ce pas? C'est ce jeune 5 Français sympathique et distingué qui, il y a quelques années, a fait des études à notre université. Je me sens fautif d'avoir omis de vous raconter cette visite qui en valait bien la peine. J'ai eu le plaisir de voir Claude et d'assister à l'arrivée au Stade-Vélodrome de Marseille des cyclistes de ce fameux «Tour de France». Vous trouverez ci-joint 10 un extrait de mon journal qui vous dira comment cela s'est passé.

Je vous prie de croire, cher Maître, à l'expression de mes sentiments les meilleurs.

Robert Martin

Le Tour de France
(Au Stade - Vélodrome de Marseille)

CLAUDE. Nous voilà presque arrivés. C'est par ici. Nos places sont dans la tribune Jean Bouin.

ROBERT. Pourquoi a-t-on donné ce nom à cette tribune?

CLAUDE. Jean Bouin était un des grands coureurs français. C'est lui 5 qui, de son vivant, a battu presque tous les records de course à pied.

ROBERT. C'est moi qui suis content d'apprendre cela. Marseille doit être fière de son fils.

CLAUDE. Elle l'est à juste titre. Voici nos places. La banquette est un peu plus dure qu'un fauteuil mais, n'importe. Nous serons de- 10 bout la plupart du temps. Maintenant, jetons un coup d'œil sur ce beau stade.

ROBERT. On ne saurait être mieux placé ni avoir une meilleure vue sur la piste. Ce stade est magnifique. Il doit pouvoir contenir 30.000 personnes. Si ce que l'on m'a dit est vrai, c'est le plus grand 15 stade-vélodrome de France. Cependant, en dehors de la piste destinée aux vélos, à quoi sert cet immense terrain couvert de gazon qui se trouve au centre?

CLAUDE. C'est notre terrain de football. Mais attention! Ne le confondez pas avec le football américain. Il n'y a absolument aucun 20 rapport entre les deux sports. Notre football, qui est le sport national français, se joue à onze, avec un ballon rond et avec le pied, ou même avec la tête.

ROBERT. J'espère avoir l'occasion d'assister à quelques matchs pendant l'année que je passerai à Paris.

25 CLAUDE. Il faut, à tout prix, que vous assistiez à quelques-uns de ces matchs qui, je vous assure, sont palpitants. Il nous reste encore quelques minutes à attendre l'arrivée du «Tour de France» cycliste. Si vous le voulez bien, je vais vous donner quelques renseignements sur cette course en particulier et sur le cyclisme en général.

30 ROBERT. A la bonne heure! Voilà une éternité que ce «Tour de France» m'intrigue.

CLAUDE. C'est en 1861 que Pierre Michaux perfectionna l'antique draisienne qui ne comprenait que le cadre et les roues, en y ajoutant les pédales. Ainsi donc, la bicyclette était inventée et le cyclisme 35 naissait. Aussitôt «la petite Reine»[1] s'assura un rapide succès et dès 1881 l'Union Vélocipédique de France organisait de nombreuses

[1] «La petite Reine» fut au début un surnom affectueux de la bicyclette et non pas le nom d'une forme transitoire entre l'antique draisienne et la bicyclette actuelle.

courses internationales dont la plus célèbre est, sans contredit, le «Tour de France». La course comprend environ 25 étapes, car ce chiffre varie chaque année.

ROBERT. Pardon, Claude, mais je voudrais savoir quel est le point de départ de la course. 5

CLAUDE. Les coureurs partent généralement de Paris. Dans ce cas, voici l'itinéraire habituel. Il fait un crochet en Belgique, passe par la Normandie, la Bretagne, la Côte Atlantique, les Pyrénées, le Languedoc et Marseille où les coureurs vont arriver d'un instant à l'autre. Ensuite, après être passé par la Côte d'Azur, il fait quelque- 10 fois un crochet par l'Italie. Enfin, viennent les pénibles étapes des Alpes françaises et suisses, la Champagne et le retour sur Paris. Les coureurs partent le matin, à 9 heures, de l'endroit où ils ont dormi et roulent jusqu'à 5 heures, parcourant ainsi des distances de plus de 300 kilomètres sans s'arrêter pour manger. 15

ROBERT. Voilà une épreuve qui doit être pénible, surtout pendant plus de 25 jours.

CLAUDE. En effet, aussi y a-t-il de nombreux abandons en cours de route.

ROBERT. Mais qui est-ce qui gagne la course? Est-ce le premier qui 20 arrive à Paris?

CLAUDE. Non, le vainqueur du «Tour de France» est le coureur qui a mis le moins de temps à parcourir «la grande boucle» après avoir additionné les heures mises à couvrir chaque étape. Il porte le fameux maillot jaune. 25

ROBERT. Ah! J'y suis maintenant. Mais, regardez donc les gens autour de nous. Ils ont des chapeaux de papier sur la tête. Ils sont impatients, ils crient, ils s'interpellent, ils gesticulent, ils s'agitent.

CLAUDE. Oui, en bons méridionaux, ils explosent littéralement.

ROBERT. Entendez-vous ces cris au dehors? Les premiers coureurs 30 doivent arriver. Voilà la foule qui se lève anxieuse de savoir qui est le vainqueur de cette étape.

CLAUDE. Le voici. Il est tout seul et noir de poussière. Il ruisselle de sueur sous ce chaud soleil du Midi. Les autres coureurs seront dans le même état tout à l'heure. 35

ROBERT. J'ai été très heureux d'assister à ce spectacle. Je n'aurais jamais cru qu'une course puisse provoquer de telles émotions.

CLAUDE. Pendant 25 jours des millions de Français ne parlent que du «Tour de France» y compris ceux que le sport n'intéresse pas d'habitude. C'est vous dire l'importance que revêt cette course du 40 point de vue national.

ROBERT. J'aimerais déjà savoir qui sera le vainqueur, mais que le meilleur gagne.

CLAUDE. Vous avez raison. Dans cette compétition la règle est «Chacun pour soi et Dieu pour tous». 45

CHOIX D'EXPRESSIONS

à la bonne heure!	fine! great!
à juste titre	rightly so, justly so
à pied	on foot, foot . . .
de son vivant	in his lifetime, in his day
par ici	this way
à tout prix	at all costs
j'y suis	I get it, now I understand
n'importe	no matter
peu importe	never mind
rendre visite	to pay a visit
tout à l'heure	shortly, in a little while
en valoir la peine	to be worth while

QUESTIONNAIRE

1. A quoi Robert Martin a-t-il assisté? 2. Avec qui est-il allé au stade de Marseille? 3. Comment est le stade de Marseille? 4. Le football américain est-il semblable au football français? 5. En France, quelle est la plus célèbre course de bicyclette? 6. Qui a perfectionné la draisienne? 7. D'où les coureurs partent-ils généralement? 8. De quelle heure à quelle heure roulent-ils? 9. Qui est le vainqueur final du Tour? 10. Que porte le vainqueur? 11. Que font les Marseillais présents avant l'arrivée du Tour? 12. Les Français s'intéressent-ils au Tour de France?

MISE AU POINT GRAMMATICALE

36. STRESSED[1] PERSONAL PRONOUNS

The stressed personal pronouns are used:

1. After prepositions:

avec **lui,** sans **elle,** chez **soi**[2]	with him, without her, at one's house

2. When standing alone (absolute construction):

Qui sait la règle?—**Moi.**	Who knows the rule?—I (do).

[1] For table of stressed forms (**pronoms toniques**) see Unit IX. [2] **Soi** is rarely used except in the singular with an indefinite antecedent, such as **on, chacun,** etc.: **Chacun pour soi,** *Everyone for himself.*

3. After **c'est, ce sont,** or other forms of **ce+être:**

C'est **moi.**	It is I.
Ce sont (or C'est[1]) **eux.**	It is they.
C'était **elle.**	It was she.

4. In a compound subject or object:

Lui et **moi** (nous) sommes américains.	He and I are Americans.
Je les vois, **elle** et **lui.**	I see them, her and him.

5. As subjects when separated from the verb by any words except **ne,** conjunctive object pronouns, and **y** and **en:**

Lui, aussi, est anglais.	He, also, is an Englishman.

6. In apposition, for emphasis:

(As subject:) **Moi,** je ne vois rien.	As for me, I see nothing.
(As direct object:) Je le vois, **lui.**	I see *him.*
(As indirect object:) Je leur parlerai, à **eux.**	I shall speak to *them.*

7. After **penser,**[2] **songer,** and verbs of motion such as **venir, courir,** etc.:

Il pense à **elle.**	He is thinking of her.
Il vient (court) à **moi.**	He comes (runs) to me.

8. As indirect object when the direct object is **me, te (moi** and **toi** after imperative affirmative), **se, nous, vous:**

Je vous présenterai à **elle.**	I shall introduce you to her.
Conduisez-moi à **eux.**	Take me to them.

37. ADJECTIVES, ADVERBS—COMPARISON

FORMATION:

joli(e), *pretty*	**plus joli(e),** *prettier*	**le (la) plus joli(e),** *prettiest*
joli(e), *pretty*	**moins joli(e),** *less pretty*	**le (la) moins joli(e),** *least pretty*

[1] Colloquial. [2] **penser de,** *to have an opinion of;* **penser à,** *to turn one's thoughts toward.*

lentement, *slowly*	**plus lentement,** *more slowly*	**le plus lentement,** *most slowly*
lentement, *slowly*	**moins lentement,** *less slowly*	**le moins lentement,** *least slowly*

The comparative of adjectives is regularly formed by adding **plus** or **moins** to the positive; the superlative, by adding **le (la** or **les) plus** or **le (la** or **les) moins** to the positive. Adverbs are compared like adjectives, but in the superlative forms the **le** is invariable (**le plus** or **le moins**).

Some adjectives and adverbs are compared irregularly:

bon, *good*	**meilleur,** *better*	**le meilleur,** *best*
mauvais, *bad*	**plus mauvais** **pire**[1] } *worse*	**le plus mauvais** **le pire** } *worst*
petit, *small*	**moindre**[2] **plus petit** } *smaller*	**le moindre** **le plus petit** } *smallest*
bien, *well*	**mieux,** *better*	**le mieux,** *best*
mal, *badly*	**plus mal** **pis** } *worse*	**le plus mal** **le pis** } *worst*
peu, *little*	**moins,** *less*	**le moins,** *least*
beaucoup, *much*	**plus,** *more*	**le plus,** *most*

DEGREES OF COMPARISON

1. Comparative of superiority:

$$\textbf{plus} + \left\{ \begin{array}{l} \text{adjective} \\ \text{adverb} \end{array} \right\} + \textbf{que}$$

La France est **plus grande que** l'Italie.	France is larger than Italy.
L'avion va **plus vite que** le train.	The airplane goes faster than the train.

In comparisons, the word *than* is translated by **que.**

[1] **Pire** as a comparative is scarcely used in the spoken language except in set and proverbial expressions. [2] In importance or degree.

2. Comparative of equality:

aussi + { adjective / adverb } + **que**

New-York est maintenant **aussi grand que** Londres.	New York is now as large as London.
Gaston parle **aussi bien que** Paul.	Gaston speaks as well as Paul.

3. Comparative of inferiority:

moins + { adjective / adverb } + **que**

La France est **moins grande que** les États-Unis.	France is smaller than the United States.
Les élèves prononcent **moins bien que** le professeur.	The pupils do not pronounce so well as the teacher.

4. The word *than,* ordinarily expressed by **que,** commonly becomes **de** after **plus** or **moins** when followed by a numeral:

Il est plus jeune **que** moi.	He is younger than I.
But: Il a plus **de** vingt francs.	He has more than twenty francs.

SUPERLATIVE

le (**la** or **les**) + **plus** + adjective + **de**
le + **plus** + adverb

Ce train électrique français est **le plus rapide du** monde.	This French electric train is the fastest in the world.
Faites-moi savoir cela **le plus tôt que** vous le pourrez.	Let me know that as soon as you can.

De is used for *in* after a superlative

DAILY VERBS

courir (*run*)	courant	couru	cours	courus
courrai	courais	avoir couru		courusse
courrais				

PRES. IND. cours, cours, court, courons, courez, courent
PRES. SUBJ. coure, coures, coure, courions, couriez, courent

(**parcourir,** *traverse, travel through*)

naître (*be born*)	naissant	né	nais	naquis
naîtrai	naissais	être né		naquisse
naîtrais				

PRES. IND. nais, nais, naît, naissons, naissez, naissent
PRES. SUBJ. naisse, naisses, naisse, naissions, naissiez, naissent

battre (*beat*)	battant	battu	bats	battis
battrai	battais	avoir battu		battisse
battrais				

PRES. IND. bats, bats, bat, battons, battez, battent
PRES. SUBJ. batte, battes, batte, battions, battiez, battent

EXERCICES

I. Exercices sur les verbes: «battre, courir, naître»

A. Répétez les phrases suivantes en employant le sujet indiqué:

Tu bats le tapis. (Je, nous, vous, les domestiques, la femme)
Nous courons pour arriver à temps. (Vous, le garçon, tu, je, les enfants)

B. Répétez les phrases suivantes en les mettant au passé simple:

Exemple: L'oncle a battu son neveu.
—L'oncle battit son neveu.

Les soldats ont battu l'ennemi.
Mes amis sont nés en France.
Ils ont couru jusqu'à la maison.
Napoléon est né en Corse.
J'ai couru chercher le médecin.

C. Répétez les phrases suivantes à la forme négative en mettant le verbe au subjonctif présent:

Exemple: Je crois que son enfant naîtra en France.
—Je ne crois pas que son enfant naisse en France.

Nous croyons que vous battez souvent votre frère.
Il pense que l'équipe de France battra l'équipe d'Amérique.
Vous croyez que de cette guerre naîtront d'autres guerres?
Tu penses que je cours bien?

D. Répétez les phrases suivantes en mettant les verbes à l'imparfait et au conditionnel:

Exemple: Si ce garçon court plus vite, il battra ses camarades. —Si ce garçon courait plus vite, il battrait ses camarades.

Si nous courons plus vite, nous battrons nos camarades.
Si ces sportifs courent plus vite, ils battront leurs camarades.
Si tu cours plus vite, tu battras tes camarades.
Si vous courez plus vite, vous battrez vos camarades.

II. Exercices sur les pronoms personnels

A. Répétez les phrases suivantes en les faisant précéder du pronom tonique:

Exemple: Tu es ici. —Toi, tu es ici.

Il sait bien le français.
Vous allez souvent au café.
Ils courent bien.
Je ne connais pas Paris.
Elles lisent les journaux.
Nous habitons là.

B. Répétez les phrases suivantes en remplaçant le nom qui suit la préposition par un pronom tonique:

Exemple: Le professeur est devant les étudiants. —Le professeur est devant eux.

L'enfant marche devant ses parents.
Nous passons après nos amis.
Vous conduisez le malade chez le médecin.
Il a acheté ce cadeau pour sa tante.

C. Répondez aux questions suivantes en remplaçant les noms par des pronoms personnels:

Exemple: Pensez-vous à votre oncle? —Je pense à lui.

Nous présenterez-vous aux experts?
Viendra-t-il à son professeur?
Nous conduirez-vous à ce directeur?
Songez-vous à vos cousines?

III. Exercices sur le comparatif

A. Transformez les phrases suivantes de sorte que les comparatifs de supériorité deviennent des comparatifs d'infériorité:

Exemple: Les États-Unis sont plus grands que la France.
—La France est moins grande que les États-Unis.

Le Louvre est plus vaste que la Sorbonne.
L'avion est plus rapide que le train.
Le vin est meilleur que la bière.
Le train est plus agréable que le métro.

B. Unissez la proposition donnée aux mots qui la suivent au moyen d'une comparaison d'égalité:

Exemple: La voiture est rapide, le train aussi.
—La voiture est aussi rapide que le train.

Paris est intéressant, New-York aussi.
Cet étudiant est intelligent, cette étudiante aussi.
Les coureurs français sont bons, les coureurs américains aussi.
Le français est difficile, l'anglais aussi.
Cette boutique est vieille, cette maison aussi.
Son frère est affectueux, sa sœur aussi.

IV. Exercices sur le superlatif

A. Dans les phrases suivantes, transformez les adjectifs en superlatifs et ajoutez **que je connaisse:**

Exemple: Ce professeur est intelligent.
—Ce professeur est le plus intelligent que je connaisse.

Ce monument est ancien.
Cette ville est grande.
Ce vin est bon.
Cette artiste est belle.

B. Dites le contraire:

Exemple: Cet élève est le meilleur de la classe.
—Cet élève est le moins bon de la classe.

Cet étudiant est le plus grand de l' université.
Ce restaurant est le plus connu de la ville.
Cet exercice est le plus facile du livre.
Ce livre est le plus intéressant de la bibliothèque.

THÈME

1. Who prefers to stay home and (**à**) read? He does.
2. Who wants to go to the game? I do.
3. We shall not be thinking of him during the game.
4. When I opened the letter, I read: "I am taking the liberty of introducing myself to you."
5. The weather was better yesterday.
6. Today, tennis is less popular than football.
7. Even an electric train goes more slowly than an airplane.
8. Jean Bouin, in his day, ran faster than all the other Frenchmen.
9. He said that this stadium was the most beautiful in France.
10. Isn't he the one who studied at our university a few years ago?

REMEMBERING THE HONORED DEAD

unit 11

DAILY VERBS: *conduire*
suivre
mourir
valoir

Le 11 Novembre à Paris

Extrait du journal de Robert Martin

(*Robert Martin vient d'arriver chez M. Coquery.*)

ROBERT. Bonjour, Monsieur. J'ai bien reçu votre pneu[1] et me voilà. Vous me parlez d'une cérémonie commémorative qui doit avoir lieu ce matin et à laquelle nous allons assister. De quoi s'agit-il exactement? 5

M. COQUERY. Je suis ravi que vous ayez reçu mon petit mot. Je désire que vous m'accompagniez place de l'Étoile où l'on doit célébrer l'anniversaire de l'Armistice.

[1] A folded single sheet, glued around the edges, which is sold by the post office and transmitted by pneumatic tube to any part of Paris. It is equivalent to our special delivery but is restricted to the Paris area. "Express" letters are dispatched to and from any town in France.

ROBERT. Lequel?

M. COQUERY. Celui qui, le 11 novembre 1918, mit fin à la grande guerre de 1914–1918.

ROBERT. Ah! J'y suis maintenant.

M. COQUERY. La commémoration de la victoire est célébrée avec ferveur dans toute la France et à Paris avec plus d'éclat qu'ailleurs.

ROBERT. Je vous demande pardon, mais à quelle heure partons-nous?

M. COQUERY. Tout de suite. Je vous raconterai, chemin faisant, le déroulement des différentes cérémonies.

(*Robert Martin et M. Coquery quittent la maison.*)

M. COQUERY. Dès 9 heures du matin, un nombreux public se rend sur l'Esplanade des Invalides pour la sortie solennelle des drapeaux des régiments dissous. A dix heures, les notabilités de la Préfecture de la Seine et de la Municipalité de Paris, déposent des gerbes de fleurs devant le monument à la gloire de l'armée française et la statue équestre du Maréchal Foch situés place du Trocadéro et ensuite devant la statue de Clémenceau.

ROBERT. J'ai honte d'être si peu au courant de l'histoire moderne, mais qui était au juste ce Monsieur Foch?

M. COQUERY. C'est une des plus grandes figures militaires des temps modernes que celle de Ferdinand Foch, Maréchal de France, de Grande-Bretagne et de Pologne. En 1918, il devint Général en chef des armées françaises qu'il conduisit à la victoire. Avez-vous entendu parler de Clémenceau?

ROBERT. Oui. Je sais tout ce que la France doit à ce grand homme d'état.

M. COQUERY. On m'a dit que les Ministres des Anciens Combattants, de l'Éducation Nationale et de la Jeunesse et des Sports devaient aller se recueillir devant la plaque commémorant le sacrifice des étudiants qui, le 11 novembre 1940, s'étaient rassemblés place de l'Étoile et qui y furent victimes d'une fusillade. De plus, ce matin, des délégations officielles ont fleuri le tombeau de Foch aux Invalides et celui de Joffre à Louveciennes.

Monsieur Coquery et Robert arrivent place de l'Étoile. Le soleil brille. Le ciel est étonnamment bleu pour la saison. Le beau temps a attiré une grande foule le long des Champs-Élysées et autour de l'Étoile.

Sous l'Arc de Triomphe, tout autour de la dalle de bronze, sous laquelle repose le Soldat Inconnu, il y a des gerbes de roses, de chrysanthèmes et d'œillets.

A $10^{h}30$, les hautes personnalités commencent à arriver.

Les drapeaux des régiments dissous viennent se ranger sous la voûte de l'arc, à côté des emblèmes des Anciens Combattants. Les membres du gouvernement, le Président de l'Assemblée Nationale, les officiers étrangers arrivent à leur tour.

Vers 11 heures, la foule est devenue si dense autour de l'Étoile et en haut des Champs-Élysées que les piétons ont de la peine à circuler.

Mais, voilà la voiture du Président de la République, escortée de motocyclistes, qui s'avance le long de l'avenue au milieu des applaudissements. 5

Le chef de l'État qu'accompagne le Premier Ministre est debout dans la voiture et il répond aux acclamations de la foule. Arrivé devant le drapeau de la Garde où l'attendent le Ministre des Armées et le Général Gouverneur Militaire de Paris, il descend et salue le drapeau tandis que retentit la *Marseillaise.* 10

Le Président de la République passe ensuite les troupes en revue. Puis, il dépose une gerbe devant la dalle sacrée et se recueille. A 11 heures, la sonnerie «Aux Morts» s'élève. Après la minute de silence, la *Marseillaise* retentit de nouveau.

La cérémonie s'achève. Le Président de la République remonte 15 dans sa voiture pour regagner l'Élysée.

Les assistants se dispersent. M. Coquery et Robert Martin prennent le chemin du retour, non sans avoir jeté un dernier regard sur l'immense drapeau tricolore qui, en ce jour anniversaire, orne l'Arc de Triomphe. Une brise légère fait flotter ce symbole de la France. 20

Avant de le quitter, M. Coquery rappelle à Robert ces paroles célèbres du Maréchal Foch: «Au-dessus de la guerre, il y a la paix».

CHOIX D'EXPRESSIONS

s'agir de	to concern, be a question of
il s'agit de	it concerns, it is a question of
de quoi s'agit-il?	what is it all about?
chemin faisant	on the way
avoir honte (de)	to be ashamed(of)
avoir lieu	to take place
avoir de la peine (à)	to have difficulty (in)
demander pardon	to beg pardon
je vous demande pardon	I beg your pardon
entendre parler	to hear about
être au courant (de)	to be informed (about)

QUESTIONNAIRE

1. Qu'est-ce que M. Coquery a envoyé à Robert? 2. A quelle cérémonie M. Coquery désire-t-il emmener Robert? 3. A quel endroit Robert et M. Coquery se rendent-ils? 4. Pourquoi y a-t-il un nombreux public sur l'Esplanade des Invalides à 9 heures? 5. Où les notabilités de la Préfecture de la Seine et de la Municipalité déposent-elles des gerbes à 10 heures? 6. Qui était Foch? 7. Que commémore la plaque devant laquelle les Ministres des Anciens Combattants, de l'Éducation Nationale, de la Jeunesse et des Sports vont se recueillir? 8. Qu'y a-t-il autour de la dalle sous laquelle repose le Soldat Inconnu? 9. Qui escorte la voiture du Président de la République? 10. Que fait le Président de la République? 11. Qu'entend-on à 11 heures? 12. Quelles paroles de Foch M. Coquery rappelle-t-il à Robert?

MISE AU POINT GRAMMATICALE

38. INTERROGATIVE ADJECTIVES

	MASCULINE	FEMININE
SINGULAR	**quel**	**quelle**
PLURAL	**quels**	**quelles**

1. Before a noun:

Quel temps fait-il?	How is the weather?
Quels verbes faut-il étudier?	What verbs must be studied?
Quelles nouvelles?	What news?
Quelle heure est-il?	What time is it?

2. As predicate adjective:

Quel est cet homme?	Who is that man?
Quelle est votre maison?	Which is your house?
Quelle est la capitale de la France?	What is the capital of France?

39. INTERROGATIVE PRONOUNS

INVARIABLE:

	PERSONS	THINGS
SUBJECT	**qui,** *who*	**qu'est-ce qui,** *what*
	(qui est-ce qui)	
OBJECT	**qui,** *whom*	**que,** *what*
	(qui est-ce que)	**(qu'est-ce que)**
AFTER A PREPOSITION	**qui,** *whom*	**quoi,** *what*

The interrogative pronoun **qui** refers to persons.
The interrogative pronoun **que** refers to things. **Quoi** is the stressed form of **que.**
The long form often gives a more harmonious sentence. The verb is not inverted whenever a long form is used:

Qu'allez-vous faire?
Qu'est-ce que vous allez faire? } What are you going to do?

1. **qui?** *who? whom?*

Qui parle?	Who is speaking?
Qui avez-vous vu?	Whom did you see?
De **qui** parlait-il?	Of whom was he speaking?
Chez **qui** êtes-vous allé?	To whose house did you go?

Qui, *who, whom,* is regularly used of persons, as subject, object, and after prepositions.

A qui est cette bicyclette?	Whose bicycle is this?
De qui êtes-vous le frère?	Whose brother are you?

Whose is expressed by **à qui** denoting ownership, and **de qui** denoting relationship.

2. **que?** *what?*

Que voulez-vous?	What do you wish?
Que sera la réponse?	What will be the answer?
Qu' est-il devenu?	What has become of him?

Que means *what* and is used of things, as object or predicate nominative.

3. **quoi?** *what?*

De **quoi** parle-t-elle?	What is she speaking about?
Entendez-vous cela?—**Quoi?**	Do you hear that?—What?

Quoi, *what,* is used of things after prepositions or when standing alone.

4. Long forms[1]

Qu'est-ce qui? *what?*

Qu'est-ce qui est arrivé?	What has happened?

Qu'est-ce qui is the only form used as the subject of a verb other than **être.**

Qui est-ce qui? *who?*

Qui est-ce qui a pris mon stylo?	Who (in the world) has taken my pen?

Qui est-ce qui is the emphatic form of **qui** used as subject.

Qui est-ce que? *whom?*

Qui est-ce que vous cherchez?	Whom are you looking for?

Qui est-ce que is used for **qui** as the object of a verb when referring to a person.

Qu'est-ce que? *what?*

Qu'est-ce qu'il veut savoir?	What does he want to know?

Qu'est-ce que is used for **que** as the object of a verb when referring to a thing.

Qu'est-ce que . . . ? qu'est-ce que c'est que . . . ? *what is . . . ?*

Qu'est-ce que la liberté?	What is liberty?
Qu'est-ce que c'est que ça?	What (sort of a thing) is that?
Qu'est-ce que c'est que le Louvre?	What is the Louvre?

Qu'est-ce que or **qu'est-ce que c'est que** is used when a definition or an explanation is requested.

[1] These locutions are frequently used in current French. They are more emphatic than the simple interrogative pronouns.

VARIABLE:

lequel, laquelle (lesquels, lesquelles)? *which one(s)?*

Lequel de ces chapeaux vous plaît le mieux?	Which one of these hats pleases you most?
Laquelle a-t-il vue?	Which one did he see?
Auxquels de ces soldats parle-t-il?	To which of these soldiers is he speaking?

Lequel, etc., *which one,* is used of persons and things as subject, direct object, and after prepositions, when one is required to make a choice. **De** and **à** contract with **le, les,** thus forming **duquel, desquels, desquelles** and **auquel, auxquels, auxquelles.**

40. INTERROGATIVE WORD ORDER

1. Verb + subject:

Sont-ils à Paris?	Are they in Paris?

Subject pronouns, as in English, follow the verb.

2. Subject + verb + pronoun:

Les provinces françaises ne sont-elles pas riches de leur passé?	Are not the French provinces rich from a historic point of view?

Subject names usually precede the verb and are repeated after it in the form of a pronoun.

3. After certain interrogative words:

Que dit M. Coquery?	What does Mr. Coquery say?
A qui est ce chapeau?	Whose hat is this?
Combien coûte cela? *or* **Combien** cela coûte-t-il?	How much does that cost?

After certain interrogative words, such as **que, qui, quel, combien, comment, où, quand, à qui, de qui, de quoi, à quelle,** etc., the subject generally follows the verb.

4. **Est-ce que?; n'est-ce pas?:**

Est-ce que je devrais accepter cette invitation?	Ought I to accept this invitation?
Est-ce que Robert Martin doit passer une année en France?	Is Robert Martin to spend a year in France?
Il est content d'y aller, **n'est-ce pas?**	He is glad to go there, isn't he? (Yes.)

Affirmative sentences may be made interrogative by placing **Est-ce que** before the sentence. **Est-ce que** is usually used if the subject is **je.** Similarly, **n'est-ce pas?** (*is it not so?*) may be used after an affirmative sentence with interrogative force, but in this case an affirmative reply is assumed.

5. Parenthetical clauses—rhetorical effect:

Son père, dit-il, demeure au Canada.	His father, he says, lives in Canada.
Peut-être y irons-nous demain.	Perhaps we shall go there tomorrow.

The inverted word order is used also in parenthetical clauses, and very commonly for rhetorical effect after certain adverbs and adverbial locutions, such as **ainsi, à peine, au moins, aussi, bientôt, encore, peut-être, toujours,** etc.

6. Phonetic **t:**

A-t-il acheté des allumettes?	Did he buy some matches?
Parle-t-il bien?	Does he speak well?

If a verb ending in a vowel is followed by the pronoun **il, elle,** or **on,** a –**t**– is placed between the verb and pronoun.

DAILY VERBS

conduire (*conduct, lead*)	conduisant	conduit	conduis	conduisis
conduirai	conduisais	avoir conduit		conduisisse
conduirais				

PRES. IND. conduis, conduis, conduit, conduisons, conduisez, conduisent
PRES. SUBJ. conduise, conduises, conduise, conduisions, conduisiez, conduisent

(**traduire,** *translate;* **construire,** *construct;* **détruire,** *destroy*)

suivre (*follow*)	suivant	suivi	suis	suivis
suivrai	suivais	avoir suivi		suivisse
suivrais				

PRES. IND. suis, suis, suit, suivons, suivez, suivent
PRES. SUBJ. suive, suives, suive, suivions, suiviez, suivent

mourir (*die*)	mourant	mort	meurs	mourus
mourrai	mourais	être mort		mourusse
mourrais				

PRES. IND. meurs, meurs, meurt, mourons, mourez, meurent
PRES. SUBJ. meure, meures, meure, mourions, mouriez, meurent

valoir (*be worth*)	valant	valu	il vaut	il valut
il vaudra	il valait	avoir valu		il valût
il vaudrait				

PRES. IND. il vaut, ils valent
PRES. SUBJ. il vaille, ils vaillent

EXERCICES

I. Exercices sur les verbes: «conduire, suivre, valoir, mourir»

A. Répétez les phrases suivantes en employant les sujets indiqués:

Je conduis ma voiture. (Tu, il, nous, vous, mes sœurs)
Tu meurs de fatigue. (Nous, vous, l'enfant, je, mes amis)
Vous suivez des cours. (Les étudiants, l'élève, je, nous, tu)

B. Mettez les phrases suivantes au pluriel:

Tu suivais la route.
Il suivra sa classe.
J'ai suivi mes parents.
Tu conduiras le train.
J'ai conduit le taxi.
Il conduisait l'auto.

C. Mettez les phrases suivantes au pluriel:

Elle est morte de soif.
Je mourais de faim.
Cette maison vaudra très cher.
Tu mourras de sommeil.
Ce billet ne vaut rien.
Ce livre valait 10 francs.
Cette bonne action lui a valu une récompense.

D. Mettez les phrases suivantes au singulier:

Exemple: Si nous avions le temps, nous suivrions des conférences.
—Si j'avais le temps, je suivrais des conférences.

Si vous ne mangiez pas, vous mourriez.
Si mes frères achetaient une automobile, ils la conduiraient.
Il ne faut pas que vous suiviez toujours vos amis.
Nos frères craignent que nous conduisions trop vite.
Nous avons peur que ces enfants meurent.

E. Mettez les phrases suivantes au plus-que-parfait et à l'imparfait:

Exemple: Quand j'aurai mal répondu, je mourrai de honte.
—Quand j'avais mal répondu, je mourais de honte.

Lorsque vous aurez suivi ces cours vous rentrerez chez vous.
Quand tes amis t'auront vu, ils te conduiront au restaurant.
Lorsque tu auras reconduit ta sœur, tu rentreras chez toi.
Quand nous aurons travaillé toute la journée, nous mourrons de sommeil.

II. Exercices sur les pronoms interrogatifs

A. Transformez les phrases suivantes en questions pour trouver le sujet:

Exemples: La place est grande.
—Qu'est-ce qui est grand? (La place)

Paul travaille bien.
—Qui travaille bien? (Paul)

Cette gerbe est belle.
Ces jardins sont beaux.
Le soldat repose sous la dalle.
Le président salue le drapeau.
Les motocyclistes escortent la voiture.

B. Transformez les phrases suivantes commençant par **que** ou **qui** en questions pour trouver le complément d'objet direct:

Exemples: Vous regardez l'Arc de Triomphe.
—Que regardez-vous? Vous regardez le général. —Qui regardez-vous?

Nous visitons une église.
Ils entendent la *Marseillaise*.
Vous admirez ce professeur.
Tu vois un maréchal.
Vous avez fleuri la statue.
Ils ont fait la guerre.

C. Transformez les phrases suivantes en questions pour trouver le complément:

Exemples: Vous pensez à votre pays.
—A quoi pensez-vous? Vous pensez à vos parents. —A qui pensez-vous?

Tu réponds à la lettre.
Vous achetez des fleurs pour votre mère.
Nous parlons de l'Armistice.
Nous allons chez le directeur.
Elle sort avec son parapluie.

D. Refaites les phrases suivantes en employant les formes **Qui est-ce qui? Qu'est ce qui? Qui est-ce que? Qu'est ce que** à la place de **qui** et **que:**

Exemple: Qui enseigne le français ici?
—Qui est-ce qui enseigne le français ici?

Que pensez-vous de cela?
Qu'y a-t-il sous l'Arc de Triomphe?
Qui suit les cours?
Qui cherches-tu?
Que faisons-nous ce soir?
Qui est le Président de la République Française?

E. Transformez les phrases suivantes en questions en introduisant les pronoms **lequel, laquelle** et en ajoutant **préférez-vous:**

Exemple: Voici deux livres. —Lequel préférez-vous?

Voici des monuments.
Voici deux restaurants.
Voici deux églises.
Voici deux places.

F. Transformez les phrases suivantes en questions en introduisant les pronoms **duquel, de laquelle,** et en ajoutant **m'avez vous parlé?:**

Exemple: Voilà des jardins.
—Duquel m'avez-vous parlé?

Voilà des magasins.
Voilà deux rues.
Voilà des théâtres.
Voilà des statues.

G. Transformez les phrases suivantes en questions en introduisant les pronoms **auquel, à laquelle,** et en ajoutant **assisterez-vous?**

Exemple: On donne deux films:
—Auquel assisterez-vous?

On donne deux pièces.
On donne deux comédies.
On donne des concerts.
On donne des opéras.

III. Exercices sur l'interrogation

A. Posez les questions correspondant aux phrases suivantes avec **Combien? Quand? Où? Comment?:**

Exemple: Vous avez des livres.
—Combien de livres avez-vous?

L' université est grande.
Tu es parti cet été.
Il neige en hiver.
Vous êtes né en Amérique.
Vous avez trois frères.
La France est belle.

B. Mettez les phrases suivantes à la forme interrogative avec l'inversion du sujet:

Exemple: Les étudiants chantent des chansons françaises.
—Les étudiants chantent-ils des chansons françaises?

La France est un beau pays.
Le Président salue le ministre.
Le Soldat Inconnu repose sous l'Arc de Triomphe.
La Sorbonne est dans le Quartier latin.

C. Commencez les phrases suivantes par **Est-ce que?:**

Exemple: Vous travaillez beaucoup.
—Est-ce que vous travaillez beaucoup?

Je réponds aux lettres que je reçois.
Les enfants admirent les soldats.
L'ambiance de la Cité Universitaire est agréable.
Ce restaurant est très bon.

IV. Exercice sur l'inversion

Transformez les phrases suivantes en les commençant par la locution adverbiale:

Exemple: Nous étions à peine rentrés que le téléphone a sonné. —A peine étions-nous rentrés que le téléphone a sonné.

Il viendra sans doute.
Ils partiront sans doute demain.
Nous sortirons peut-être demain.
Il faut au moins savoir ce que l'on veut.

THÈME

1. What is he talking about?
2. Whose car is this?
3. "Good morning," said she, as she entered.
4. What do you want me to say?
5. Which of the two cities do you prefer: Paris or London?
6. Whom are you looking at?
7. What are you looking at?
8. What are the four seasons?
9. What is that?
10. Whose auto is this?

CAFE DE LA PAIX

unit 12

41. THE ARTICLES
42. PREPOSITIONS WITH NAMES OF CITIES, ISLANDS, COUNTRIES, ETC.

DAILY VERBS: *craindre*
cueillir
fuir
ouvrir

Au Café de la Paix

Extrait du journal de Robert Martin

Le général Desbareau, dont mon oncle avait eu le plaisir de faire la connaissance, il y a quinze ans, a bien voulu m'inviter à prendre le thé avec lui. Bien entendu, je me suis empressé de me rendre à son aimable invitation, car être invité par un Français aussi distingué est un grand honneur. Alors, vers cinq heures de l'après-midi, le cœur léger, je me 5 suis dirigé vers le Café de la Paix qui se trouve place de l'Opéra, en plein centre de Paris. Le général, qui m'attendait depuis quelques minutes, m'a accueilli avec une courtoisie toute française.

LE GÉNÉRAL. C'est très aimable à vous de m'avoir signalé votre présence à Paris et d'avoir bien voulu venir passer un moment avec 10 moi.

ROBERT. Mais, c'est moi, mon général, qui vous sais gré de m'avoir invité.

LE GÉNÉRAL. Vous vous exprimez très bien dans ma langue, mon jeune ami. Vous aimeriez probablement mieux parler le français que l'anglais avec moi.

ROBERT. En effet, c'est si bon d'entendre le français de Paris. Au
5 Quartier latin, on parle toutes sortes de langues.

LE GÉNÉRAL. Alors, c'est entendu. Nous allons continuer notre conversation déjà si bien commencée en français. A tout prendre, je crois que cela vaudra mieux, car je crains que mon anglais ne laisse à désirer. Vous prendrez bien une tasse de thé, n'est-ce pas?
10 Garçon, deux thés citron avec des croissants et des brioches, s'il vous plaît.

Votre présence ici, mon jeune ami, évoque pour moi le souvenir de ce voyage inoubliable que je fis en Amérique du Nord, il y a à peu près quinze ans. C'est à ce moment-là que j'ai fait la connaissance
15 de votre oncle. Il venait de rentrer de France et s'apprêtait à écrire une série d'articles sur la littérature française.

ROBERT. C'est à cause de ce séjour en France que mon oncle m'a envoyé passer cette année à Paris.

LE GÉNÉRAL. Qu'est-ce qui a donc poussé votre oncle à prendre cette
20 décision?

ROBERT. Mon oncle, dont je suis le neveu préféré, avait été tellement impressionné par la culture et la civilisation françaises que, dès son retour aux États-Unis, il a formé le projet de me faire passer une année ici aussitôt que je serais à même d'en profiter.

25 LE GÉNÉRAL. Je me réjouis de sa décision, car je suis sûr que, de retour en Amérique vous serez un aussi bon ambassadeur de la France que votre oncle.

ROBERT. Vous pouvez y compter, mon général, car les quatre mois que j'ai passés en France m'ont déjà ouvert des horizons culturels
30 enchanteurs.

LE GÉNÉRAL. Voilà déjà quatre mois que vous êtes à Paris! Est-ce possible? Comme le temps passe! Il y a longtemps que j'aurais voulu vous voir, mais j'ai été obligé de me rendre en Espagne et au Portugal avec une mission militaire. Il n'y a que huit jours que je
35 suis rentré à Paris, après avoir passé deux semaines en Suisse romande pour me reposer des fatigues de ce voyage épuisant.

Une marchande de fleurs passe en criant: «Qui veut des roses? Elles ne sont pas chères. Fleurissez-vous».

ROBERT. Je tiens à vous dire, mon général, combien j'ai été sensible à
40 votre aimable invitation. Cette nouvelle fera le plus grand plaisir à mon oncle qui avait à cœur que je fasse votre connaissance. Il garde une profonde reconnaissance de l'aide que vous lui avez apportée.

LE GÉNÉRAL. J'ai été bien content de lui être utile. Mais, j'y pense!

Quelle heure est-il, je vous prie?

ROBERT. Il est six heures.

LE GÉNÉRAL. Déjà! Je suis désolé de vous quitter, mais il faut que je m'en aille, car, ce soir, ma femme et moi sommes invités chez des amis. Nous sommes toujours chez nous le vendredi. Voulez-vous 5 nous faire le plaisir d'être des nôtres vendredi prochain? Nous dînerons à huit heures. Ma femme sera ravie de faire votre connaissance. En outre, il me semble que vous aurez quelque intérêt à voir mes collections.

ROBERT. Merci de tout cœur, mon général. Je me réjouis d'avance à 10 l'idée de passer cette soirée avec vous.

LE GÉNÉRAL. A vendredi, alors.

ROBERT. C'est entendu, mon général. Merci encore.

CHOIX D'EXPRESSIONS

aimer mieux	to prefer
à peu près	almost, just about
à tout prendre	everything considered
avoir à cœur	to have one's heart set on
bien entendu	of course, naturally
c'est entendu	all right, it is understood
être à même	to be in a position to, to be able to
être des nôtres	to be with us, join us
j'y pense	by the way, come to think of it
laisser à désirer	to leave something to be desired, leave room for improvement
savoir gré (de)	to be grateful (for)

QUESTIONNAIRE

1. Où le général Desbareau a-t-il invité Robert Martin? 2. En quelle langue a lieu la conversation? 3. Qu'est-ce que le général offre à Robert? 4. Qui le général a-t-il connu en Amérique? 5. Pour quelle raison l'oncle de Robert Martin l'a-t-il envoyé en France? 6. Depuis combien de temps Robert Martin est-il à Paris? 7. Où le général s'est-il rendu avec une mission? 8. Dans quel pays s'est-il reposé avant de rentrer en France? 9. A quoi Robert a-t-il été sensible? 10. Pourquoi le général quitte-t-il Robert à six heures? 11. Quel jour le général invite-t-il Robert à dîner? 12. Que lui montrera-t-il?

MISE AU POINT GRAMMATICALE

41. THE ARTICLES

TABLE OF THE DEFINITE AND INDEFINITE ARTICLES:

	MASCULINE	FEMININE	PLURAL
the	**le, l'**	**la, l'**	**les**
of the	**du, de l'**	**de la, de l'**	**des**
to the	**au, à l'**	**à la, à l'**	**aux**
a, an	**un**	**une**	**(des)**

Articles are generally repeated before each noun to which they refer, and agree in gender and number with the noun:

Le (**Un**) roi et **la** (**une**) reine d'Angleterre. — The (A) king and queen of England.

The definite article occurs in French:

1. Before a noun used in a general or inclusive sense (collective and abstract nouns, and class names):

Les Américains aiment **le** pain français. — Americans like French bread.
Le charbon est cher à Paris. — Coal is dear in Paris.
La liberté ou **la** mort. — Liberty or death.

2. Before titles of dignity or profession preceding proper nouns, and before a proper noun preceded by an adjective:

le président Washington, **le** général Foch, **le** petit François — President Washington, General Foch, little Francis

But, in direct address[1]:

Bonjour, docteur. — Good day, Doctor.
Bonjour, petite Hélène. — Good morning (afternoon), little Helen.

[1] If, for reasons of courtesy, **monsieur, madame,** etc., precede a title the definite article is retained even in direct address—**Bonjour, monsieur le général.**

3. Before the name of a geographical division (continent, country, province, rivers, mountains, etc.), unless it is feminine and preceded by **en** meaning *to* or *in*, by **de** meaning *from*, or by **de** meaning *of* in an adjectival phrase:

l'Europe (*f.*), **l'**Amérique (*f.*), **la** France, **les** États-Unis (*m.*), **le** Canada, **le** Mexique, **le** Portugal, **la** Louisiane	Europe, America, France, the United States, Canada, Mexico, Portugal, Louisiana
Je demeure **au** Canada (*m.*); il demeure en France (*f.*).	I live in Canada; he lives in France.
Le roi **du** Danemark (*m.*) arrive **du** Mexique (*m.*).	The king of Denmark (*adjectival phrase*) arrives from Mexico.
BUT: Le roi d'Angleterre (*f.*) vient d'Europe.	The king of England (*adjectival phrase*) comes from Europe.
Le Mont-Blanc	Mt. Blanc
La Seine	the Seine

4. With parts of the body instead of a possessive adjective:

J'ai mal à **la** tête.	I have a headache.
Elle s'est lavé **les** mains.	She washed her hands.

5. Before the name of a language unless preceded by the preposition **en.** It is also ordinarily omitted if the verb **parler** immediately precedes the name of the language:

C'est si bon d'entendre **le** français de Paris.	It is so nice to hear Parisian French.
Nous allons continuer la conversation **en** français.	We are going to continue the conversation in French.
Robert parle français assez couramment.	Robert speaks French quite fluently.

6. For *a* or *an* (in prices) before nouns of quantity and measure:

Les œufs, quatre francs **la** douzaine.	Eggs, four francs a dozen.
Les cerises, un franc **la** livre.	Cherries, one franc a pound.

Par is commonly used for *a* or *an* in expressions of time:

Les bateaux partent quatre fois **par** semaine.	The boats leave four times a week.

7. Before days of the week to express a regular occurrence and before names of seasons unless preceded by **en:**

Nous allons à l'église **le** dimanche.	We go to church on Sunday.
BUT: Il viendra me voir dimanche.	He will come to see me Sunday.
L'automne est beau en France, mais il fait trop froid **en** hiver.	Autumn is beautiful in France, but it is too cold in winter.

42. PREPOSITIONS WITH NAMES OF CITIES, ISLANDS, COUNTRIES, ETC.

To express the idea of *to*, *at*, or *in* with names of cities or islands use the preposition **à:**

Nous allons **à** Paris.	We are going to Paris.
Nous avons débarqué **à** Marseille.	We landed at Marseilles.
La Havane se trouve **à** Cuba.	Havana is in Cuba.

Special cases:

au Havre (Le Havre); **à la** Haye; **au** Caire (le Caire); **à la** Nouvelle-Orléans; **à la** Havane; **à la** Rochelle	in (at *or* to) Le Havre; at The Hague; in Cairo; in New Orleans; in Havana; in La Rochelle

Prepositions with names of countries:

1. To express the idea of *to* or *in* with the name of a feminine country use the preposition **en.** Countries whose names end in **e,** with the exception of **le Mexique,** are feminine:

Paris est **en** France.	Paris is in France.
Il va **en** Italie.	He is going to Italy.

2. To express the idea of *to* or *in* with names of countries beginning with a vowel use **en:**

en Iran; **en** Afghanistan; **en** Irak	to Iran; in Afghanistan; in Iraq

3. The name of a country not ending in **e** is masculine. To express the idea of *to* or *in* with the name of a masculine country use **au.** For countries whose names are plural use **aux:**

Il demeure **au** Japon.	He lives in Japan.
Il est allé **aux** États-Unis.	He went to the United States.
Il alla **au** Maroc Oriental.	He went to Eastern Morocco.

4. To express the idea of *in* or *to* before the names of ancient provinces use **en** regardless of gender:

en Picardie; **en** Dauphiné; **en** Limousin; **en** Artois	in Picardy; in Dauphiné; to Limousin; in Artois

5. In the case of modified names of geographical divisions, current usage shows a definite swing away from the traditional rule of **dans** + the article to **en** without the article, especially when the adjective has ceased to play a distinctive role:

en Amérique du Sud	in South America
en Afrique du Nord	in North Africa
en Amérique du Nord	in North America
en Suisse romande	in French Switzerland
en Afrique française	in French Africa
en Asie Mineure	in Asia Minor
en Arabie Séoudite (Saoudite)	in Saudi Arabia
dans la chaude Asie	in hot Asia
dans la France Libre	in Free France
dans la sèche Afrique	in dry Africa

DAILY VERBS

craindre (*fear*)	craignant	craint	crains	craignis
craindrai craindrais	craignais	avoir craint		craignisse

PRES. IND. crains, crains, craint, craignons, craignez, craignent
PRES. SUBJ. craigne, craignes, craigne, craignions, craigniez, craignent

(**plaindre,** *pity;* **éteindre,** *extinguish;* **peindre,** *paint;* **(re)joindre,** *join*)

cueillir (*gather, pick*)	cueillant	cueilli	cueille	cueillis
cueillerai	cueillais	avoir cueilli		cueillisse
cueillerais				

PRES. IND. cueille, cueilles, cueille, cueillons, cueillez, cueillent
PRES. SUBJ. cueille, cueilles, cueille, cueillions, cueilliez, cueillent

(**accueillir,** *welcome, receive;* **recueillir,** *collect, gather*)

fuir (*flee*)	fuyant	fui	fuis	fuis
fuirai	fuyais	avoir fui		fuisse
fuirais				

PRES. IND. fuis, fuis, fuit, fuyons, fuyez, fuient
PRES. SUBJ. fuie, fuies, fuie, fuyions, fuyiez, fuient

ouvrir (*open*)	ouvrant	ouvert	ouvre	ouvris
ouvrirai	ouvrais	avoir ouvert		ouvrisse
ouvrirais				

PRES. IND. ouvre, ouvres, ouvre, ouvrons, ouvrez, ouvrent
PRES. SUBJ. ouvre, ouvres, ouvre, ouvrions, ouvriez, ouvrent

(**couvrir,** *cover;* **découvrir,** *find;* **offrir,** *offer;* **souffrir,** *suffer*)

EXERCICES

I. Exercices sur les verbes: «craindre, cueillir, fuir, ouvrir,» etc.

A. Répétez les phrases suivantes en les mettant au pluriel:

Je crains le froid.
Le soldat américain ne craint rien.
Tu crains le mauvais temps.
Tu fuis le regard de ta mère.
Je fuis cette personne.
Tu cueilles des roses.
Elle cueille des œillets.
Je cueille des chrysanthèmes.
L'enfant ouvre la fenêtre.
Tu ouvres les yeux.

B. Répétez les phrases suivantes en les mettant à l'imparfait et au conditionnel présent:

Exemple: Si le soleil brille, nous éteindrons la lampe.
—Si le soleil brillait, nous éteindrions la lampe.

Si tu viens chez moi, je t'offrirai l'apéritif.
Si nos amis arrivent, nous les accueillerons bien.
S'il y a un danger, vous fuirez.
S'il fait chaud, j'ouvrirai les fenêtres.

C. Répétez les phrases suivantes en les mettant au singulier:

Exemple: Vous avez ouvert la bouche pour parler.
—Tu as ouvert la bouche pour parler.

Nous avons souffert du froid.
Les enfants ont cueilli des fleurs.
Nous avons fui ces gens.
Vous avez éteint la lumière.

D. Dites les phrases suivantes en les commençant par **il faut:**

Exemple: Vous fuyez le danger.
—Il faut que vous fuyiez le danger.

Tu éteins les cierges.
Nous accueillons les visiteurs.
Vous offrez des cadeaux.
Vous ouvrez votre maison.

II. **Exercices sur l'emploi ou l'omission de l'article**

A. Dites en français:

Life is expensive in France.
Americans like French wine.
President Washington is very well known in France.
General de Gaulle went to the United States.
Little Mary is a pretty girl.
Young Paul goes to school.
Good morning, doctor.

B. Mettez l'article convenable en complétant les phrases avec le nom géographique donné:

Exemple: Europe —Nous visitons . . . Nous visitons l'Europe.

États-Unis —Nous allons . . .
Mont-Blanc —Ils ont vu . . .
Mexique —Vous demeurez . . .
France —Nous passerons l'été . . .
Portugal —Vous connaîtrez . . .
Seine —Paris est au bord de . . .

C. Transformez les phrases suivantes en mettant le mot du début à la fin:

Exemple: Un kilo de pommes coûte deux francs.
—Les pommes coûtent deux francs le kilo.

Une livre de café vaut cinq francs.
Une bouteille de champagne vaut vingt francs.
Une douzaine d'œufs vaut quatre francs.
Une demi-douzaine de roses coûte dix francs.

D. Transformez les phrases suivantes en introduisant **par** à la place de **tous les** ou **toutes les:**

Exemple: Toutes les semaines, vous avez cinq leçons de français. —Vous avez cinq leçons de français par semaine.

Tous les jours, nous mangeons trois fois.
Tous les mois, ce musicien donne deux concerts.
Tous les semestres, les étudiants passent un examen.
Tous les ans, vous prenez trois mois de vacances.

E. Répondez aux questions suivantes:

Où est Paris?
Quelle est la capitale de Cuba?
Dans quel état est la Nouvelle-Orléans?
Où se trouve le Caire?
Dans quel pays habitez-vous?
Est-ce que le Havre et Marseille sont des ports français?
En quelle saison est le mois d'octobre? le mois de mai? le mois d'août? le mois de février?
L'hiver est-il froid au Canada?
Quand commence le printemps?

F. Dites que vous visiterez les pays suivants. Commencez votre phrase par **j'irai:**

Exemple: Japon —J'irai au Japon.

Iran
Mexique
Argentine
Maroc Oriental
Picardie
Artois
Suisse romande
Afrique du Nord

THÈME

1. I have just returned from England. Next week, I expect to go to Switzerland.
2. They say that Switzerland is beautiful in winter.
3. Robert arrived in Paris four months ago.
4. When the general went off to the United States, he was anxious to study its civilization.
5. Little Marie likes to eat cakes.
6. He spent a week in Algeria.
7. He ordered some tea because he had a headache.
8. My friends went to North Africa.
9. Eggs cost 4 francs a dozen.
10. Next winter I shall spend two months in hot Asia.

DEGAS: "THE VIOLINIST"

unit 13

43. OMISSION OF BOTH THE DEFINITE AND INDEFINITE ARTICLE
44. OMISSION OF THE INDEFINITE ARTICLE
45. "FAIRE" + INFINITIVE (CAUSATIVE)

DAILY VERBS: *asseoir*
vivre
suffire
vaincre

Une soirée à la française

Extrait du journal de Robert Martin

Il était à peine sept heures et demie, lorsque je me suis présenté, comme convenu, chez le général Desbareau. Le général se promenait dans son jardin.

LE GÉNÉRAL. Bonsoir, mon jeune ami. Soyez le bienvenu. Mais, entrez donc dans la maison, je vous prie. 5
ROBERT. Bonsoir, mon général. Je crains d'être arrivé trop tôt.
LE GÉNÉRAL. Pas du tout. Vous avez bien fait de venir de bonne heure. Nous aurons plus de temps pour prendre notre apéritif avant le dîner.
(*Au salon*)—Asseyez-vous et faites comme chez vous. 10
ROBERT. Merci, mon général.
LE GÉNÉRAL. J'entends ma femme qui descend. (*A sa femme qui entre*)

Louise, voici Robert Martin. Tu verras comme ce jeune Américain parle bien notre langue.

LA GÉNÉRALE. Je suis d'autant plus heureuse de faire votre connaissance, Monsieur, que nous avons eu le plaisir de recevoir votre oncle, lors de son dernier séjour en France.

ROBERT. De mon côté, Madame, je suis ravi, car mon oncle m'a souvent parlé de votre aimable accueil.

LA GÉNÉRALE. M. Martin s'exprime comme un vrai Parisien, en effet.

LE GÉNÉRAL. Je te l'avais bien dit.

ROBERT. Vous êtes trop aimable, Madame.

(*La domestique entre apportant le plateau d'apéritifs.*)

LE GÉNÉRAL. Puis-je vous offrir quelque chose, jeune homme: un Dubonnet, un Vermouth, un Saint-Raphaël?

ROBERT. Je prendrai volontiers un peu de Saint-Raphaël, mon général. J'y prends goût depuis que je suis à Paris.

LE GÉNÉRAL. Tu vois, Louise, que M. Martin s'est vite fait à nos habitudes parisiennes.

ROBERT. Je me suis laissé vaincre par le charme des coutumes françaises.

LA GÉNÉRALE. Passons donc à table, je vous prie.

Quel bon repas! Rien que d'y penser me fait venir l'eau à la bouche. Le dîner terminé, nous sommes retournés au salon où nous avons pris le café et des liqueurs que j'ai acceptés avec plaisir. Le général m'a demandé ensuite de le suivre dans la pièce voisine. Elle était pleine d'objets divers rapportés par le général de tous les pays qu'il avait visités: armes à feu, sabres, boîtes japonaises, bouddhas, bibelots variés, etc.

ROBERT. Tiens! Quel beau livre vous avez là, mon général!

LE GÉNÉRAL. C'est une édition de luxe de *Cyrano de Bergerac*, un drame d'Edmond Rostand. Je suis très fier de cet exemplaire que l'auteur avait dédicacé à mon père. De plus, Constant Coquelin, le grand artiste français qui a créé le rôle de Cyrano était un ami de notre famille. Mais, voici quelque chose qui m'est infiniment précieux. C'est une tabatière de Napoléon Ier, qui a été Empereur des Français de 1804 à 1814. Il en avait fait don à un de mes aïeux, son aide de camp, qui avait suivi les aigles impériales jusqu'à Moscou.

ROBERT. Comme vous avez raison d'y tenir, mon général.

Le général était en train de me faire voir son souvenir le plus précieux, une magnifique épée que ses soldats lui avaient offerte, quand on a sonné à la porte. C'était le fils du général accompagné de sa femme; ce fils est actuellement officier instructeur à l'École Militaire.

(*Le général fait les présentations.*)

LE COMMANDANT. Nous ne voudrions pas vous déranger. Père, continuez à montrer vos collections à M. Martin. J'avais besoin de vous demander un petit renseignement, cet après-midi, mais j'ai eu beau essayer de vous téléphoner, il m'a été impossible d'obtenir la communication. Alors, Marie et moi, avons fait un saut jusqu'ici en voiture. 5

LE GÉNÉRAL. Vous avez eu bien raison de venir. Je tenais justement à vous faire connaître ce jeune étudiant américain qui parle notre langue comme un Parisien.

CHOIX D'EXPRESSIONS

avoir beau + *inf.*	to do something in vain[1]
de bonne heure	early
de (mon) côté	for (my) part
Je vous l'ai bien dit.	I told you so.
être en train de + *inf.*	to be busy, be in the act of
faire voir	to show
faites comme chez vous	make yourself at home
soyez le bienvenu!	welcome!
faire venir l'eau à la bouche	to make one's mouth water
faire un saut	to drop over
se faire à	to become accustomed to

QUESTIONNAIRE

1. Où était le général quand Robert est arrivé? 2. Où a-t-il fait entrer Robert? 3. Quel apéritif Robert choisit-il? 4. Que sert-on après le dîner? 5. Qu'est-ce que le général montre à Robert? 6. Qui a écrit *Cyrano de Bergerac*? 7. De quoi Napoléon Ier a-t-il fait don à un des aïeux du général? 8. Où cet ancêtre du général avait-il suivi Napoléon? 9. Quel est le souvenir le plus précieux du général? 10. Qui a sonné à la porte? 11. Que fait le fils du général? 12. Pourquoi a-t-il essayé de téléphoner à son père?

[1] This idiom requires a counterbalancing clause.

MISE AU POINT GRAMMATICALE

43. OMISSION OF DEFINITE, INDEFINITE ARTICLES

1. Both of them are omitted before a noun in parenthetical apposition:

George V, roi d'Angleterre	George the Fifth, king of England
Cyrano de Bergerac, drame d'Edmond Rostand	*Cyrano de Bergerac*, a drama by Edmond Rostand

The article is retained when the noun in apposition distinguishes, contrasts, or compares (especially when it has an adjectival modifier):

Nous lisons *Cyrano de Bergerac*, **le** meilleur drame d'Edmond Rostand.	We are reading *Cyrano de Bergerac*, the best drama of Edmond Rostand.
Nous sommes à Paris, **la** plus belle capitale du monde.	We are in Paris, the most beautiful capital in the world.

2. In condensed sentences, such as advertisements, titles of books, addresses, proverbs, and enumerations:

Magasin à louer	Store to rent
Grammaire française	A French grammar
Liberté, égalité, fraternité	Liberty, Equality, Fraternity
Je demeure 18, boulevard Saint-Michel.	I live at number 18 Boulevard Saint-Michel.
A quelque chose malheur est bon.	It's an ill wind that blows no one good.
J'ai mis toutes les choses sur votre table: plumes, crayons, cahiers, enveloppes, encre, papier buvard.	I put all the things on your table: pens, pencils, exercise books, envelopes, ink, blotting paper.

3. After **de** denoting a point of departure before feminine names of countries:

Ce vin vient de France.	This wine comes from France.

Remark. This construction is found most frequently after **arriver, partir, venir.**

4. Generally after the preposition **en:**

en France, en français, en hiver, en mer, en ville, en automobile	in France, in French, in winter, on the sea, in town, by automobile

There are exceptions to this rule, such as:

en **l'**air, en **l'**honneur, en **l'**absence, en **l'**an, en **l'**espèce, en **l'**église	in the air, in honor, in the absence, in the year, in this case, in the church

5. After a preposition when the sense is undetermined:

une robe de soie	a silk dress
rempli d'eau	filled with water

44. THE INDEFINITE ARTICLE IS OMITTED:

1. Before a predicate noun used in an adjectival sense, denoting membership in a class (nationality, profession, religion, etc.):

Robert est américain; son oncle est journaliste.	Robert is an American; his uncle is a newspaperman.
M. Mauriac est catholique.	Mr. Mauriac is a Catholic.
Le père de Toulouse-Lautrec était comte.	The father of Toulouse Lautrec was a count.

The article is retained when the predicate noun is modified or is preceded by **c'est, ce sont,** etc.[1]:

Robert est un étudiant américain.	Robert is an American student.
Le fils du général est un soldat qui aime son métier.	The general's son is a soldier who loves his profession.

2. Before a noun used as a predicate objective:

On l'a nommé ambassadeur.	They appointed him ambassador.

3. Before **cent,** *a hundred*, and **mille,** *a thousand:*

J'ai payé ces livres cent dix francs.	I paid one hundred and ten francs for these books.
Voulez-vous me prêter mille francs?	Will you lend me a thousand francs?

4. In exclamations after **quel(le),** *what a:*

Quelle belle automobile!	What a beautiful automobile!

[1] See § 49, page 185.

5. After **comme:**

comme cadeau	as a present

6. With **ni . . . ni,** *neither . . . nor:*

Il n'a ni père ni mère.	He has neither father nor mother.

7. Special group with **avoir:**

J'ai faim,[1] etc.	I'm hungry, etc.

45. "FAIRE" + INFINITIVE (CAUSATIVE)

Le général va **faire voir** sa collection de curiosités à Robert.	The general is going to show Robert (*cause him to see*) his collection of curios.
La domestique **a fait entrer** Robert.	The maid let Robert in (*caused him to enter*).
Le professeur **a fait écrire** un exercice aux élèves.	The teacher had the pupils write a test.
Il le leur **a fait écrire.**	He had them write it.

Faire adds a causative force to a following infinitive and has the meaning *have*, *make*, *cause*, or *cause to be.* If the direct object of this construction is a thing, then the personal object becomes indirect.

1. The most used combinations of **faire** + the infinitive are:

faire attendre, *to keep waiting*	**faire faire,** *to have made*
se faire comprendre, *to make oneself understood*	**faire savoir,** *to let know*
faire entrer, *to show (let) in*	**faire venir,** *to send for*
	faire voir, *to show*

2. To avoid any possible ambiguity, **par** may be used instead of an indirect object:

Le père fit raconter toute l'histoire **par** son fils.	The father had his son tell the whole story.[2]

[1] See page 41. [2] Otherwise it might mean "to his son."

DAILY VERBS

asseoir (*set, seat*)	asseyant	assis	assieds	assis
assiérai	asseyais	avoir assis		assisse
assiérais				

PRES. IND. assieds, assieds, assied, asseyons, asseyez, asseyent
PRES. SUBJ. asseye, asseyes, asseye, asseyions, asseyiez, asseyent

Less Frequent Forms: PRES. PART. assoyant; PRES. IND. assois; PRES. SUBJ. assoie; IMPERFECT assoyais; FUT. assoirai *and* asseyerai, etc.

(Practice the reflexive form **s'asseoir,** *seat oneself, sit down.*)

vivre (*live*)	vivant	vécu	vis	vécus
vivrai	vivais	avoir vécu		vécusse
vivrais				

PRES. IND. vis, vis, vit, vivons, vivez, vivent
PRES. SUBJ. vive, vives, vive, vivions, viviez, vivent

suffire (*suffice*)	suffisant	suffi	suffis	suffis
suffirai	suffisais	avoir suffi		suffisse
suffirais				

PRES. IND. suffis, suffis, suffit, suffisons, suffisez, suffisent
PRES. SUBJ. suffise, suffises, suffise, suffisions, suffisiez, suffisent

vaincre (*conquer*)	vainquant	vaincu	vaincs	vainquis
vaincrai	vainquais	avoir vaincu		vainquisse
vaincrais				

PRES. IND. vaincs, vaincs, vainc, vainquons, vainquez, vainquent
PRES. SUBJ. vainque, vainques, vainque, vainquions, vainquiez, vainquent

EXERCICES

I. Exercices sur les verbes

A. Mettez les phrases suivantes au futur:

Exemple: Nous vainquons toutes les résistances.
—Nous vaincrons toutes les résistances.

Je m'assieds en classe.
Vous vous asseyez dans le métro.
Cet argent vous suffit.
Cet homme vit de son travail.
Cette dame vit bien.
Tu vaincs les obstacles.
Ces fruits vous suffisent.

B. Répétez les phrases suivantes en les mettant au passé composé:

Exemple: Ce général vainquait ses ennemis.
—Ce général a vaincu ses ennemis.

Un coup d'œil lui suffisait.
Cette dame vivait pauvrement.
Tu suffisais à tout.
Vous vous asseyiez au théâtre.
Nous vivions à la ville.
Les soldats vainquaient.

C. Répétez les phrases suivantes en les mettant au subjonctif en les commençant par **Il faut:**

Exemple: Vivez heureux.
—Il faut que vous viviez heureux.

Assieds-toi ici.
Asseyons-nous là.
Vivez heureux.
Vivons à la ville.
Suffis à tes besoins.
Vaincs cet obstacle.

D. Voici des phrases au plus-que-parfait. Répétez-les en les mettant au passé simple:

Exemple: Nous nous étions assis dans le salon.
—Nous nous assîmes dans le salon.

Cela nous avait suffi.
Ils s'étaient assis au café.
Napoléon avait vaincu avec ses armées.
Il avait vécu dans cette maison.

II. Exercices sur les articles (emploi et omission)

A. Dans les phrases suivantes introduisez le superlatif relatif de l'adjectif:

Exemple: *Cyrano de Bergerac* est un bon drame de Rostand.
—*Cyrano de Bergerac* est le meilleur drame de Rostand.

Paris est une célèbre ville de France.
La Tour Eiffel est un haut monument de la capitale française.
New-York est une grande ville des États-Unis.
La Loire est un long fleuve de France.

B. Répondez aux questions suivantes:

D'où vient le champagne?
Quand neige-t-il en France?
Quelle est votre nationalité?
La plupart des Français sont-ils chrétiens?
Dans quelle ville est la Sorbonne?
Quel est le titre de votre livre français?
En quelle langue parlez-vous avec votre professeur de français?
Qui était empereur des Français en 1804?

C. Dans les phrases suivantes, remplacez **Voici** par **C'est** ou **Ce sont:**

Exemple: Voici un étudiant américain.
—C'est un étudiant américain.

Voici un excellent journaliste.
Voici une belle automobile.
Voici des fleurs magnifiques.
Voici un vieux bouquin.
Voici des livres rares.
Voici des soldats qui aiment leur métier.
Voici une grande maison.

D. Dans les phrases suivantes rattachez la deuxième proposition à la première au moyen de **comme** pour en faire une seule phrase:

Exemple: Elle entre dans cette famille: c'est une gouvernante.
—Elle entre dans cette famille comme gouvernante.

Nous servons des gâteaux: c'est un dessert.
Il est envoyé en France: c'est un expert.
Il travaille ici: c'est un journaliste.
Elle est employée dans cette maison: c'est une domestique.

E. Répondez aux questions suivantes avec **ni . . . ni:**

Exemple: Buvez-vous du vin et des apéritifs en classe?
—Je ne bois ni vin ni apéritif en classe.

Avez-vous faim et soif après un bon dîner?
Mangez-vous de la soupe et des gâteaux au petit déjeuner?
Portez-vous un chapeau et des gants à la maison?
Connaissez-vous des généraux et des commandants français?

III. Exercice sur: «faire»+Infinitif

A. Mettez les phrases suivantes au pluriel:

Exemple: Le professeur fait faire des exercices.
—Les professeurs font faire des exercices.

Tu te fais comprendre.
Il fera venir l'expert.
Le directeur m'a fait attendre.
Ce garçon m'a fait voir sa collection.

THÈME

1. He needed water because he was thirsty.
2. You are right in wanting to visit Paris, the capital of France.
3. This wine comes from France.
4. She has a headache.
5. You are wrong not to study more.
6. The general has just arrived from Switzerland.
7. He is an American who knows how to speak French well.
8. He gave me a book as a present.
9. They are doctors.
10. Robert is an American.

VUILLARD: "FAMILY SCENE

unit 14

46. PARTITIVE CONSTRUCTION
47. DAYS, MONTHS, SEASONS

DAILY VERBS: *pleuvoir*
résoudre

L'Opéra et l'Opéra-Comique

ROBERT. Comme le commandant a des renseignements à vous demander, je ferais peut-être bien de me retirer.

LE GÉNÉRAL. Il n'en est pas question. Mes enfants, vous n'êtes pas pressés, n'est-ce pas? Nous allons passer la soirée ensemble, d'autant plus que nous attendons encore quelqu'un. 5

LA GÉNÉRALE. Mon ami, pourquoi ne pas mettre M. Martin au courant de la surprise que tu lui réserves?

LE GÉNÉRAL. Eh bien, voilà. Nous avons demandé à mon vieil ami Guérin de venir. Guérin fait partie de l'orchestre de l'Opéra-Comique depuis une trentaine d'années. Il vous parlera de son 10 théâtre et de celui de l'Opéra si cela vous intéresse. Ensuite, ma femme nous offrira quelques-uns de ses excellents gâteaux dont elle a le secret et je vous ferai goûter le champagne que je réserve pour les grandes occasions. Qu'en dites-vous, jeune Parisien?

ROBERT. Mais c'est une véritable soirée de gala en perspective, mon 15 général.

LE GÉNÉRAL. Tiens! Je reconnais le coup de sonnette de Guérin. (*Ouvrant la porte*) Bonsoir, cher ami. Entre donc. Tu as apporté ton violon. C'est très gentil à toi.

(*On voit entrer un homme d'environ soixante ans, aux yeux vifs, à la barbe* 5 *blanche. Présentations.*)

LE GÉNÉRAL. Je disais à notre jeune ami que tu voudrais bien lui parler un peu de ta carrière musicale.

ROBERT. Si vous le vouliez bien, Monsieur, je vous en serais très reconnaissant, car cela m'intéresse particulièrement.

10 M. GUÉRIN. Avec le plus grand plaisir, mais, peut-être, vaudrait-il mieux que je vous dise d'abord deux mots du Conservatoire National de Musique et de Déclamation? C'est une école qui dépend du Ministère de l'Éducation Nationale. Cette école a pour but l'enseignement de la musique vocale et instrumentale, de l'art dramatique 15 et de la danse.

ROBERT. Pardon, Monsieur, les élèves doivent-ils payer très cher?

M. GUÉRIN. L'instruction est gratuite, mais n'y entre pas qui veut. L'admission se fait uniquement par voie de concours. Personnellement, j'ai commencé à étudier le violon dès mon plus jeune âge. 20 Peu à peu, je me suis perfectionné au point de pouvoir me présenter au concours d'entrée et d'être reçu. Il a fallu que je fasse des études sérieuses au cours desquelles j'ai bien des fois douté de mes capacités. Au bout de quelques années, j'étais suffisamment avancé pour concourir pour le prix. J'ai eu la chance d'obtenir un Premier 25 Prix et, grâce à cela, j'ai été engagé comme premier violon à l'Opéra-Comique. C'est l'un des cinq théâtres nationaux subventionnés par le Ministère de l'Éducation Nationale et, par conséquent, affranchis de soucis financiers d'ordre dominant. Ce théâtre, comme l'Opéra, est donc à même, non seulement d'entretenir le goût du 30 public pour la bonne musique classique, mais encore de développer et de guider ce goût dans des voies nouvelles.

ROBERT. Pourriez-vous me dire en quoi consiste la différence entre l'Opéra et l'Opéra-Comique, car j'ai assisté dans votre théâtre à des représentations qui n'avaient rien de comique? Or, la plupart des 35 Américains croient que l'Opéra-Comique veut dire «Comic Opera».

M. GUÉRIN. Eh bien! Voici. A l'Opéra, le fond de chaque pièce est une tragédie et toutes les paroles sont chantées, tandis qu'à l'Opéra-Comique, il y a souvent des éléments divertissants et une partie du dialogue est parlée. Par exemple, le répertoire de l'Opéra com-40 prend des chefs-d'œuvre tels que *Faust*, *les Huguenots*, *Samson et Dalila*, etc.... En revanche, il faut assister aux représentations de l'Opéra-Comique si l'on veut entendre des drames lyriques tels que *Manon*, *Louise*, *la Bohème*, *Pelleas et Mélisande*. Remarquez qu'il n'y a pas de règle absolue. On joue maintenant *Carmen*, qui faisait partie 45 du répertoire de l'Opéra-Comique, à l'Opéra.

M. Guérin, à la prière de tous, a bien voulu nous interpréter «Le rêve» de Manon, une œuvre de Massenet. C'est la femme du commandant qui l'a accompagné au piano. Ensuite, on a servi du champagne et des gâteaux.

ROBERT (*s'adressant à Mme Desbareau*). J'ai rarement mange une tarte aussi exquise, Madame. 5

LA GÉNÉRALE. Je suis contente qu'elle vous plaise. C'est demain, samedi. Avez-vous des cours?

ROBERT. Je n'ai pas de classes importantes, mais je dois aller à une séance de correction de prononciation au laboratoire de phonétique. 10

Nous nous sommes enfin séparés. Comme il pleuvait, le commandant et sa femme ont eu l'amabilité de nous ramener chez nous, M. Guérin et moi. J'ai été enchanté de cette soirée qui m'a permis de prendre part à la vie d'une famille française.

CHOIX D'EXPRESSIONS

à (*description*)	with
au bout de	after, at the end of
faire partie de	to belong to, be a member of
mettre au courant (de)	to tell about, inform

QUESTIONNAIRE

1. Qui le général a-t-il encore invité? 2. De quel orchestre M. Guérin fait-il partie? 3. Qu'est-ce que le général a l'intention de servir à Robert au cours de la soirée? 4. Quel instrument de musique M. Guérin a-t-il apporté? 5. Quel est le but du Conservatoire? 6. Comment se fait l'admission au Conservatoire? 7. Les études sont-elles chères au Conservatoire? 8. Quel prix M. Guérin a-t-il eu la chance d'obtenir? 9. Quelle sorte de théâtre est l'Opéra-Comique? 10. De quel Ministère dépend-il? 11. Quel morceau M. Guérin interprète-t-il? 12. Qui l'accompagne au piano?

MISE AU POINT GRAMMATICALE

46. PARTITIVE CONSTRUCTION

The idea of *some* or *any* in English, whether expressed or understood, is regularly expressed in French by **de** + the definite article (**du, de la, de l', des**) before a noun:

Veuillez me passer cette boîte où il y a **des** cigarettes.	Please pass me this box in which there are some cigarettes.
Je prendrai **du** café.	I'll have some coffee.
Ouvrez cette fenêtre, je vous prie. Il nous faut **de l'**air.	Please open that window. We need some air.

In this construction **de** means "an indefinite quantity of." This indicates that only a portion or part of the thing mentioned is being considered.

In the following cases, **de** alone, i.e., without the definite article, is used to express the idea of *some* or *any* when preceding a noun.

1. After a general negation such as **ne . . . pas, ne . . . point, ne . . . guère, ne . . . jamais**[1]:

Il n'y a pas **de** classes le dimanche.	There are no classes on Sundays.
Je n'ai guère **d'**argent.	I have scarcely any money.

Since **ne . . . que** is merely a restrictive and not a real negative, the article is used:

Je n'ai eu que **des** ennuis.	I have had nothing but trouble.

2. Before an adjective preceding a noun but only in the plural[2]:

Elle a acheté **de** jolies robes à Paris.	She bought some beautiful dresses in Paris.
Je suis venu seulement prendre **de** ses nouvelles.	I've come only to find out how he is.

Obviously when an adjective follows the noun the rule does not apply:

des roses rouges	some red roses

[1] See Unit IX for a discussion of negatives. [2] Current usage retains the article in the singular: **du** bon pain; **de la** belle musique.

3. After nouns indicating a definite quantity:

une tasse **de** café	a cup of coffee
un verre **d'**eau	a glass of water
une livre **de** beurre	a pound of butter

4. After adverbs expressing a definite quantity:

Ce malhonnête homme a-t-il des amis? —Il a beaucoup **d'**amis pour monter dans son automobile.	Has this dishonest man any friends? —He has many friends who want to ride in his car.

The most common adverbs of quantity are:

assez, *enough*	**peu,** *little*
autant, *as much*	**plus,** *more*
beaucoup, *much, many*	**tant,** *so much, so many*
combien, *how much, how many*	**trop,** *too much, too many*
moins, *less*	**que,** *how many*

Bien (*much, many*), **la plupart** (*most*), **encore** (*some more*) resemble adverbs of quantity in their use; by exception, however, they are followed by **de** + the definite article:

Bien **des** fois. (*or* Beaucoup **de** fois.)	Many times.
La plupart **des** hommes aiment la liberté.[1]	Most men love Liberty.
Encore **du** pain.	Some more bread.

5. After a verb requiring **de** before its complement:

Ils meurent **de** faim.	They are starving.
Il a manqué **de** tact.	He lacked tact.
Elle a changé **d'**avis.	She changed her mind.

6. The partitive pronoun **en** (*some*, *any*, *of it*, *of them*) replaces the partitive article (**de, du, de la, de l', des**) + a noun:

J'espère qu'il y a du vin et des gâteaux.	I hope there is some wine and cakes.
Mais oui, il y **en** a.	Yes indeed, there is some.
Alors, donnez-nous-**en.**	Then give us some.

The pronoun **en** follows all other pronouns.

[1] In this case, the verb would agree with the word after **du** or **des,** rather than with **la plupart.**

7. Both **de** and the definite article are omitted:

In long enumerations[1]:

Il y a, sur mon bureau, beaucoup de choses: plumes, livres, cahiers, enveloppes.	There are, on my desk, many things: pens, books, exercise books, envelopes.

8. After **ni . . . ni,** *neither . . . nor*, **sans,** *without*, **avec,** *with*, and a few other prepositions in particular constructions:

Je n'ai ni argent ni amis.	I have neither money nor friends.
Êtes-vous sans argent?	Are you without money?
J'accepte avec plaisir, monsieur.	I accept with pleasure, sir.

47. DAYS, MONTHS, SEASONS

The days of the week are: **lundi,** *Monday*, **mardi,** *Tuesday*, **mercredi,** *Wednesday*, **jeudi,** *Thursday*, **vendredi,** *Friday*, **samedi,** *Saturday*, **dimanche,** *Sunday*.

1. The word *on* before days of the week is omitted in French:

Il viendra lundi.	He will come on Monday

2. The definite article used before days of the week indicates regular occurrence:

On assiste à l'office divin **le** dimanche.	People attend church service regularly on Sunday.

REMARK. There is a growing tendency to begin days of the week with a capital.

The months are: **janvier,** *January*, **février,** *February*, **mars,** *March*, **avril,** *April*, **mai,** *May*, **juin,** *June*, **juillet,** *July*, **août,** *August*, **septembre,** *September*, **octobre,** *October*, **novembre,** *November*, **décembre,** *December*.

There are two possible ways of expressing *in* before a month:

Victor Hugo naquit **en** février (*or* au mois de février).	Victor Hugo was born in February.

[1] See § 43, page 160.

REMARK. There is a growing tendency to start the names of the months with a capital.

The names of the seasons are: **l'été,** *summer,* **l'automne,** *autumn,* **l'hiver,** *winter,* **le printemps,** *spring.*

In summer, in autumn, in winter are ***en* été, *en* automne, *en* hiver,** but *in spring* is ***au* printemps.**

En is used before the three names of seasons that begin with a vowel sound.

The names of the days, months, and seasons are masculine.

DAILY VERBS

pleuvoir (*rain*)	pleuvant	plu	il pleut	il plut
il pleuvra il pleuvrait	il pleuvait	avoir plu		il plût

PRES. IND. il pleut
PRES. SUBJ. il pleuve

résoudre (*resolve, solve*)	résolvant	résolu (résous)	résous	résolus
résoudrai résoudrais	résolvais	avoir résolu		résolusse

PRES. IND. résous, résous, résout, résolvons, résolvez, résolvent
PRES. SUBJ. résolve, résolves, résolve, résolvions, résolviez, résolvent

(**absoudre,** *absolve*)

EXERCICES

I. Exercices sur les verbes: «pleuvoir, résoudre,» etc.

A. Mettez le verbe **pleuvoir** dans les phrases suivantes:

Aujourd'hui, il. . . .
Demain, il. . . .
Hier, pendant deux heures, il. . . .
L'année dernière, tous les jours, il. . . .
Je ne crois pas qu'il. . . .

B. Répétez les phrases suivantes en employant le sujet indiqué:

Je résous ce problème. (Tu, vous, nous, les experts, le professeur)
Tu te résoudras à partir. (Nous, je, vous, mon frère, mes amis)
Il a résolu la question. (Mon père, tu, nous, vous, je)
Il faut que je l'absolve. (Le prêtre, nous, tu, vous, les directeurs)

II. Exercice sur les partitifs

Dans les phrases suivantes, remplacez **un peu de** par le partitif:

Exemple: Il nous faut un peu de temps.
—Il nous faut du temps.

Je prendrai un peu de café.
Vous servirez un peu de thé.
Nous mangerons un peu de tarte.
Vous boirez un peu d'eau.

III. Exercices sur le pluriel de l'article

Mettez les phrases suivantes au pluriel:

Exemple: L'étudiante a un beau chapeau.
—Les étudiantes ont de beaux chapeaux.

Le professeur a une jolie cravate.
C'est un vieux journal.
L'étudiant a un gros livre de français.
Cette ville a un grand monument.

IV. Exercices sur la négation

A. Répondez à la forme négative: **Non, je . . .:**

Exemple: Avez-vous des cours le dimanche?
—Non, je n'ai pas de cours le dimanche.

Mangez-vous des gâteaux?
Avez-vous de l'argent?
Achetez-vous des fleurs?
Mettez-vous un chapeau à la maison?

B. Dans les phrases suivantes, remplacez **seulement** par **ne . . . que:**

Exemple: J'ai seulement des ennuis.
—Je n'ai que des ennuis.

Vous parlez seulement le français.
Nous voyons seulement des pièces classiques.
Tu bois seulement de l'eau.
Il lit seulement les journaux français.

C. Dans les phrases suivantes, introduisez **ne . . . guère** à la place de **ne . . . pas beaucoup:**

Exemple: Vous n'avez pas beaucoup d'argent.
—Vous n'avez guère d'argent.

Ils n'ont pas beaucoup de temps.
Ces étudiants ne font pas beaucoup de progrès.
Ces vieilles dames ne sortent pas beaucoup.
Ces enfants ne mangent pas beaucoup.

D. Répondez avec **ni . . . ni** aux questions suivantes:

Exemple: Avez-vous une plume et un crayon?
—Je n'ai ni plume ni crayon.

Avez-vous des frères et des sœurs?
Jouez-vous du piano ou du violon?
Allez-vous au théâtre et au cinéma?
Mangez-vous des pommes et des pêches?

E. Transformez les phrases suivantes en introduisant **sans:**

Exemple: Elle sort avec un parapluie.
—Elle sort sans parapluie.

Elles partent avec une valise.
Tu écris avec des gants.
Vous dormez avec des souliers.
Nous lisons avec des lunettes.

V. Exercices sur les adverbes et locutions adverbiales de quantité

A. Dans les phrases suivantes, introduisez l'adverbe donné:

Exemple: beaucoup —Il a du temps.
—Il a beaucoup de temps.

peu —Il a des amis.
assez —Il a de l'argent.
trop —Il a du travail.
plus —Il a des étudiants cette année.
moins —Il a des cours ce semestre.

B. Dans les phrases suivantes, remplacez **beaucoup** par **la plupart:**

Exemple: Beaucoup d'enfants aiment les gâteaux.
—La plupart des enfants aiment les gâteaux.

Beaucoup de Français boivent du vin.
Beaucoup d'étudiants font des progrès.

Beaucoup de livres sont intéressants.
Beaucoup d'exercices sont faciles.

VI. Exercices sur les mois, les jours, les saisons

A. Dans les phrases suivantes, remplacez **tous les** par **le:**

Exemple: Beaucoup de Français mangent du poisson tous les vendredis.
—Beaucoup de Français mangent du poisson le vendredi.

Tous les dimanches vous allez à l'église.
Tu dînes chez des amis tous les samedis.
Les enfants français ont congé tous les jeudis.
Nous avons un exercice tous les lundis.

B. Répondez aux questions suivantes:

En quel mois est la fête nationale des Américains?
En quel mois est Noël?
En quelle saison fait-il froid?
En quel mois commence l' université?

C. Dans les phrases suivantes, remplacez **au mois de** par **en:**

Exemple: L' université finit au mois de juin.
—L' université finit en juin.

La fête nationale des Français est au mois de juillet.
L'anniversaire de l'Armistice est célébré au mois de novembre.
Pâques est au mois de mars ou au mois d'avril.
Les vacances en France sont au mois de juillet ou au mois d'août.

THÈME

1. May I offer you some wine?
2. I don't care for any, thank you, but I'll have some coffee.
3. Is there any cream? Of course there is. Marie, pass him some, please.
4. I can't eat either apples or cake so late.
5. The general served some champagne, some cakes, then some cool water.
6. My father never drinks too much champagne.
7. My friend took only a cup of coffee.
8. When I was in France I always wanted to buy a lot of interesting books, but I never had enough money.
9. One must have (*falloir*) money to buy beautiful things.
10. He will not die of hunger.

A GALA EVENING

unit 15

48. DEMONSTRATIVE PRONOUNS
49. «C'EST, CE SONT—IL EST, ILS SONT»
50. PLURAL OF NOUNS AND ADJECTIVES

DAILY VERBS: *acquérir*
conclure

A la Comédie-Française

Extrait du journal de Robert Martin

(*Jaques Mérie entre dans la chambre de Robert.*)

JACQUES. Bonjour, mon vieux.
ROBERT. Quoi de neuf?
JACQUES. J'ai une nouvelle sensationnelle à t'annoncer.[1]
ROBERT. Je suis tout oreilles. 5
JACQUES. Je viens d'apprendre que l'on va jouer *Cyrano de Bergerac* au Théâtre Français.
ROBERT. Voilà, ma foi, une chance inespérée. Mon ancien professeur de français nous a dit que cette pièce représente ce qu'il y a eu

[1] Robert has been living at the Cité Universitaire for several months. He is now one of the clan. It is therefore perfectly natural and customary for these young men to use the forms **tu, te, toi, ton, ta, tes.**

de mieux en fait de théâtre, depuis plus de soixante ans.

JACQUES. Il y aura une représentation dans huit jours. Je te conseille de ne pas tarder à louer une place, car cette œuvre vaut la peine d'être vue. D'ailleurs, il n'y a rien de tel que d'écouter la belle
5 diction des artistes de la Comédie Française, si l'on veut acquérir une bonne prononciation.

ROBERT. Je ne manquerai pas de suivre ces bons conseils, mais peux-tu me dire pourquoi beaucoup de Parisiens semblent avoir une grande prédilection pour le Théâtre Français?

10 JACQUES. Le Théâtre Français que l'on appelle aussi la Comédie Française est le premier théâtre dramatique national et demeure, à bien des égards, la première scène dramatique de Paris. Elle est célèbre par son histoire ainsi que par le prestige de ses artistes. Fondée en 1680, par ordre de Louis XIV, elle est issue de l'ancienne
15 troupe de Molière, unie à celles de l'Hôtel de Bourgogne et du Théâtre du Marais. La Comédie Française, toujours constituée en société, est dirigée par un administrateur nommé par le gouvernement et elle est dotée d'une subvention du Ministère de l'Éducation Nationale. On y joue surtout le répertoire classique, tandis qu'au
20 Théâtre de France, le second théâtre national, on joue le répertoire moderne et des pièces nouvelles sélectionnées.

ROBERT. Ce que tu viens de me dire ne fait qu'accroître mon désir d'assister à cette représentation et je te remercie de me l'avoir signalée.

25 JACQUES. C'est la moindre des choses. Et maintenant, je me sauve. J'ai un cours. A très bientôt.

ROBERT. Au revoir, mon cher.

J'en ai conclu qu'il valait mieux agir sur-le-champ. J'ai volé pour ainsi dire jusqu'à une agence de théâtres où j'ai loué un fauteuil
30 d'orchestre. Le prix de la place dans une agence est un peu plus élevé que celui d'une place prise au théâtre même, mais cela en vaut la peine, car on n'a pas à se déranger, ni à faire la queue au guichet.

Le soir de la représentation, je me suis rendu au Théâtre Français. En pénétrant dans le foyer, j'ai remarqué la statue de Voltaire du
35 célèbre sculpteur Houdon (1741–1828). En arrivant en haut de l'escalier, j'ai vu un garçon qui vendait des programmes et je lui en ai acheté un. Ensuite, une vieille dame en robe noire s'est avancée vers moi. C'était l'ouvreuse qui demandait à voir le talon du billet que j'avais présenté au contrôle.

40 L'OUVREUSE. C'est par là. Si monsieur veut bien me suivre. . . .

Arrivée devant ma place, qui se trouvait au troisième rang de l'orchestre, elle m'a rendu ce qui restait de mon billet.

L'OUVREUSE (*après avoir attendu un instant*). Monsieur, qui est étranger probablement, ignore, sans doute, que c'est la coutume en France de donner un pourboire à l'ouvreuse.
ROBERT. Ah! bon. Je m'en souviendrai une autre fois. Voilà.
L'OUVREUSE. Merci, Monsieur. 5

J'ai eu à peine le temps de parcourir mon programme. Une sonnerie assez prolongée s'est fait entendre. Subitement, cette sonnerie s'est arrêtée. Il y a eu une petite pause. Puis, j'ai entendu du bruit derrière le rideau. Au bout de quelques instants, trois bons coups à intervalles un peu espacés —toc, toc, toc ont retenti. Ce sont les trois 10 coups traditionnels annonçant le lever du rideau et le commencement de la pièce.

CHOIX D'EXPRESSIONS

dans huit jours	in a week
être tout oreilles	to be all ears
ma foi!	well! (upon) my word!
par là	that way
pour ainsi dire	so to speak
je me sauve	I must be running along
sur-le-champ	right away
à bien des égards	in many respects

QUESTIONNAIRE

1. Quelle pièce va-t-on jouer au Théâtre Français? 2. Comment appelle-t-on encore ce théâtre? 3. Que doit-on faire pour acquérir une bonne prononciation? 4. Quand la Comédie Française a-t-elle été fondée? 5. En quoi est-elle toujours constituée? 6. Qui la dirige? 7. Quelle place Robert a-t-il louée? 8. Où a-t-il loué sa place? 9. Qu'a-t-il acheté avant d'entrer dans la salle? 10. Qui l'a conduit à sa place? 11. Qu'a-t-il donné à l'ouvreuse? 12. Qu'a-t-il entendu avant le commencement de la pièce?

MISE AU POINT GRAMMATICALE

48. DEMONSTRATIVE PRONOUNS

The demonstrative pronouns are of two kinds: (1) definite (variable) and (2) indefinite (invariable):

	DEFINITE (VARIABLE)		
	MASC.	FEM.	
SING.	**celui**	**celle**	*this one, that one*
PLURAL	**ceux**	**celles**	*these, those*
	INDEFINITE (INVARIABLE)		
	ce, ceci, cela		

Suffixes **–ci** (*here*) and **–là** (*there*) are added to a demonstrative pronoun itself, to distinguish between a near object and a more distant object:

Voilà des étudiants: **ceux-ci** désirent savoir parler français; **ceux-là** veulent savoir le lire.

There are students: these want to know how to speak French; those want to know how to read it.

USE

1. The definite or variable pronouns are used to replace the names of persons or things that one desires to point out in a special way and of which one has already spoken or is going to speak. They agree in gender and number with a definite antecedent:

Les rues de Paris sont plus pittoresques que **celles** de New-York.

The streets of Paris are more picturesque than those of New York.

Celui qui fait des heureux est le vrai heureux.

He who makes people happy is truly a happy man.

2. *The latter—the former.* **Celui-ci,** etc., may also mean *the latter;* **celui-là,** etc., *the former.* The order in the sentence is reversed as compared with the usual English:

Foch et Hugo étaient des Français célèbres. **Celui-ci** était poète tandis que **celui-là** était soldat.

Foch and Hugo were famous Frenchmen. The latter was a poet, whereas the former was a soldier.

3. The indefinite or invariable forms **ce, ceci,** and **cela** (sometimes contracted to **ça**) have no definite antecedent and usually refer to something indicated but not specifically named:

Cela n'est pas vrai.	That is not true.
Qu'est-ce que c'est que **ça?**	What's that?

4. *He, she, they,* when followed by a relative clause, are expressed in French by **celui, celle,** etc. The English *what* and *which,* when equivalent to *that which,* are expressed by **ce qui, ce que,** etc.:

Celui que vous cherchez est parti.	He whom you seek has left.
Je vois **ce qui** est arrivé.	I see what has happened.
Je sais **ce dont** vous avez besoin.	I know what you need (that of which you have need).

49. «CE» OR «IL»(«ELLE» ETC.) + ÊTRE

Il (elle), ils (elles) are used before **être:**

1. To represent and refer to a definite noun or to a definite person previously mentioned, when **être** is followed by an adjective alone:

Mon chapeau vous plaît?	Does my hat please you?
— **Il** est ravissant.	— It is bewitching.
Comment trouvez-vous Suzanne?	What do you think of Susan?
— **Elle** est délicieuse.	— She is delightful.

This construction includes the case where an undetermined name of a nationality, profession, title, rank, or religion is used in an adjectival sense after **être:**[1]

Elle est française.	She is French.
Ils sont soldats.	They are soldiers.
Il est général.	He is a general.
Elle est catholique.	She is a catholic.

C'est is used when the name of nationality, etc., is determined by an adjective or some distinguishing modifier:

C'est un soldat courageux.	He is a brave soldier.
C'est un médecin qui aime sa profession.	He is a physician who loves his profession.

[1] See § 44, page 161.

2. **Il** is used to represent a subordinate clause that follows **être** + an adjective. This clause is the real subject of **être:**

Il est probable que la semaine prochaine je vous ferai copier une lettre.	It is quite probable that I'll have you copy a letter next week.

3. **Il** is used to represent **de** + an infinitive after **être** + an adjective. In this construction, **de** + infinitive is the real subject of **être:**

Il est intéressant de visiter les provinces françaises.	It is interesting to visit the French provinces.

However, in colloquial French **c'est** may be used instead of **il est** to add more force to what follows. Even Victor Hugo puts these words into the mouth of Jean Valjean:

«**C'est** bon de mourir comme cela.»	It is good to die this way.

4. See Appendix II for use of **il est** in telling time.

Ce is used before **être:**

1. When **être** is followed by a noun, pronoun, superlative, adverb, or preposition:

C'est un amour de robe.	It is a darling dress.
Qui me demande? —**C'**est M. Bridac.	Who's calling? —It's Mr. Bridac.
C'est lui qui l'a dit.	He's the one who said so.
C'est celui qui a jeté les fleurs.	He's the one who threw the flowers.
C'est le plus beau.	It is the most beautiful.
C'est ici qu'il demeure.	Here is where he lives.
C'est à vous que je le dois.	I owe it all to you.

In modern French literature, **il** may replace **ce** when special emphasis is desired. (The student, however, would do well to follow the regular rule.)

Il était l'ami le plus loyal.	He was indeed the most loyal friend.

2. To represent and refer to a group of words expressing a general idea when an adjective follows **être:**

C'est pour vous faire honneur que j'ai commandé cette robe.	I ordered this dress in your honor.
C'est vrai?	Is that true?

Ce héros est mort tout jeune.	This hero died quite young.
C'est triste.	That's sad.

In this construction, **ce** refers to a complete thought while **il** would refer to one single word.

3. When **être** is followed by an adjective + **à** + an infinitive:

Il dit qu'il peut traverser la Manche à la nage.	He says he can swim the English Channel.
— **C'**est facile **à** dire.	— That is easy to say.

4. To pick up again a subject already expressed:

La première condition du développement de l'esprit, **c'**est sa liberté.	The first condition for developing the mind is its freedom.

5. When the complement of **être** is an infinitive or **de** + an infinitive:

Sa distraction, **c'**est de lire.	Reading is his great diversion.
Voir, **c'**est croire.	Seeing is believing.

6. When **être** is preceded by **devoir** or **pouvoir**:

Ce doit être un beau spectacle.	That must be a beautiful sight.

50. PLURALS OF NOUNS AND ADJECTIVES

Some exceptions to the regular plural in **s**:

1. Nouns ending in **s, x,** or **z** remain unchanged:

le nez, *the nose;* les nez, *the noses*

2. Most nouns and adjectives ending in **al,** and seven nouns in **ail,** change to **aux**:

cheval, chevaux	*horse*	principal, principaux	*principal*
loyal, loyaux	*loyal*	journal, journaux	*newspaper*
bail, baux	*lease*	soupirail, soupiraux	*vent*
corail, coraux	*coral*	travail, travaux	*work*
émail, émaux	*enamel*	vitrail, vitraux	*stained glass window*
		ventail, ventaux	*ventail*

EXCEPTIONS:

bal, bals	*dance*	festival, festivals	*festival*
carnaval, carnavals	*carnival*	régal, régals	*feast*
chacal, chacals	*jackal*	récital, récitals	*recital*

3. Nouns ending in **au, eu,** and seven in **ou,** take **x:**

tableau, tableaux	*picture*	caillou, cailloux	*pebble*	hibou, hiboux	*owl*
jeu, jeux	*game*	chou, choux	*cabbage*	joujou, joujoux	*toy*
bijou, bijoux	*jewel*	genou, genoux	*knee*	pou, poux	*louse*

4. Adjectives ending in **eu** and **ou** regularly take **s.** Adjectives ending in **eau** take **x:**

bleu (*blue*), bleus; fou (*crazy*), fous; beau (*beautiful*), beaux

5. The following irregular plurals should be noted:

œil (*eye*), yeux; ciel (*sky*), cieux; aïeul(*ancestor*), aïeux

DAILY VERBS

acquérir (*acquire*)	acquérant	acquis	acquiers	acquis
acquerrai acquerrais	acquérais	avoir acquis		acquisse

PRES. IND. acquiers, acquiers, acquiert, acquérons, acquérez, acquièrent
PRES. SUBJ. acquière, acquières, acquière, acquérions, acquériez, acquièrent

(**conquérir,** *conquer*)

conclure (*conclude*)	concluant	conclu	conclus	conclus
conclurai conclurais	concluais	avoir conclu		conclusse

PRES. IND. conclus, conclus, conclut, concluons, concluez, concluent
PRES. SUBJ. conclue, conclues, conclue, concluions, concluiez, concluent

EXERCICES

I. Exercices sur les verbes «acquérir, conclure,» etc.

A. Répétez les phrases suivantes en les mettant au futur:

Exemple: Nous acquérons une maison.
—Nous acquerrons une maison.

Tu acquiers une bonne prononciation.
Ces étudiants acquièrent une bonne culture.
Vous concluez cette affaire.
Je conclus ma lettre.
Ce jeune homme conclut ce marché.

B. Répétez les phrases suivantes en les mettant au passé simple:

Exemple: César a conquis la Gaule en huit ans.
—César conquit la Gaule en huit ans.

Ces jeunes gens ont conquis notre estime.
Vous avez conclu une bonne affaire.
J'ai conclu mon discours.
Votre père a acquis un pavillon.

C. Mettez les phrases suivantes au subjonctif en les commençant par **Il faut:**

Exemple: Tu conquerras son affection.
—Il faut que tu conquières son affection.

Vous conclurez une bonne affaire.
Nous acquerrons une bonne connaissance de la civilisation française.
Ils acquerront une grande fortune.
Sa bonté conquerra tous les cœurs.

II. Exercices sur les pronoms démonstratifs

A. Refaites les phrases suivantes en remplaçant les noms précédés d'un adjectif démonstratif par des pronoms démonstratifs:

Exemple: Voici des crayons: ce crayon-ci est vert, ce crayon-là est bleu. —Voici des crayons: celui-ci est vert, celui-là est bleu.

Voici des maisons: cette maison-ci est grande, cette maison-là est petite.
Voici des rues: ces rues-ci sont larges, ces rues-là sont étroites.

Voici des étudiants: cet étudiant-ci est français, cet étudiant-là est américain.
Voici des acteurs: ces acteurs-ci sont bons, ces acteurs-là sont mauvais.

B. Dans la deuxième partie de la comparaison, introduisez un pronom démonstratif:

Exemple: Les monuments de Paris sont plus anciens que les monuments de New-York.
—Les monuments de Paris sont plus anciens que ceux de New-York.

Les maisons de New-York sont plus hautes que les maisons de Paris.
Les étudiants de première année travaillent moins que les étudiants de deuxième année.
La fille de mon frère est plus jolie que la fille de ma sœur.
Le jardin de ma tante est plus beau que le jardin de mon oncle.

C. Remplacez les questions suivantes par des phrases en commençant par **Je vois,** et en introduisant un pronom démonstratif:

Exemple: Qu'est-il arrivé? —Je vois ce qui est arrivé.

Que voulez-vous?
Que désirez-vous?
De quoi parlez-vous?
Que faites-vous?

III. Exercices sur: «*Ce*» ou «*il* (*elle*,» etc.)

A. Répondez aux questions suivantes en utilisant le pronom personnel à la place de l'adjectif demonstratif et du nom:

Exemple: Cette jeune fille est-elle américaine?
—Oui, elle est américaine.

Ce garçon est-il protestant?
Ces jeunes filles sont-elles étudiantes?
Ces jeunes gens sont-ils français?
Cette dame est-elle actrice?

B. Dans les phrases suivantes, remplacez **voici** par **c'est** ou **ce sont:**

Exemple: Voici un soldat courageux.
—C'est un soldat courageux.

Voici un excellent musicien.
Voici de bons étudiants.
Voici une jolie fille.
Voici une actrice remarquable.
Voici de belles fleurs.

C. Commencez les phrases suivantes par **il est** suivi de l'adjectif:

Exemple: Voir des pays nouveaux est intéressant.
—Il est intéressant de voir des pays nouveaux.

Comprendre le français est utile.
Corriger ses fautes est bon.
Faire des exercices est nécessaire.
Préparer son avenir est possible.

D. Dans les phrases suivantes, mettez **c'est** à la place de **voilà:**

Exemple: Voilà le plus beau monument de Paris.
—C'est le plus beau monument de Paris.

Voilà le plus jeune de leurs enfants.
Voilà le meilleur restaurant de la ville.
Voilà Monsieur Robert Martin.
Voilà la maison où je demeure.

E. Remplacez la phrase affirmative par: **On dit** + l'expression verbale **c'est,** suivie de l'adjectif de la phrase:

Exemple: On entend une nouvelle triste. Que dit-on?
—On dit: c'est triste.

On mange un bon plat. Que dit-on?
On voit une comédie amusante. Que dit-on?
On voit une grande ville. Que dit-on?
On habite une petite maison. Que dit-on?

F. Mettez en évidence le nom des phrases suivantes en le plaçant au début de la phrase:

Exemple: Lire est sa distraction.
—Sa distraction, c'est de lire.

Chanter est son plaisir.
Visiter la France est notre intention.
Apprendre le français est son but.
Connaître Paris est ton désir.

G. Transformez les phrases suivantes en les commençant par **Ce doit être:**

Exemple: C'est un bon spectacle.
—Ce doit être un bon spectacle.

C'est agréable de voyager.
C'est une bonne expérience à faire.
C'est un travail facile.
C'est une pièce à voir.

THÈME

1. These plays are better than those.
2. The actors of the Comédie-Française have beautiful voices.
3. He who has talent can enter (*à*) the Conservatory.
4. What is that?—I don't know what it is.
5. To think is to live.
6. What news?—We won the match.—That's wonderful!
7. Is it true that he wants to do that?
8. It is very interesting to travel in Europe.
9. That is easy to say.
10. Here is where he lives.

COMÉDIE FRANÇAISE

LOCATION
ABONNEMENTS

ENTRÉE

LOCATION SE FAIT

POUR LA REPRÉSENTATION

COMÉDIE-FRANÇAISE

CYRANO DE BERGERAC

CYRANO
DE BERGERAC

L'ÉCOLE DES FEMMES

LA CRITIQUE DE L'ÉCOLE DES FEMMES

LE MISANTHROPE

LE COMMISSAIRE EST BON ENFANT

CYRANO
DE BERGERAC

"COQUELIN AINE" AS CYRANO

unit 16

51. POSSESSIVE PRONOUNS
52. SPECIAL TIME RELATIONSHIPS IDIOMATICALLY EXPRESSED

DAILY VERBS: *haïr*
rire
croître

Cyrano de Bergerac

Extrait du journal de Robert Martin

Les trois coups sont frappés. A peine le rideau est-il levé, que j'entends des applaudissements frénétiques. C'est probablement là une façon d'encourager les acteurs.

La pièce commence. Le décor représente un théâtre, celui de l'Hôtel de Bourgogne, aux environs de 1640. Au premier plan, le parterre; au fond les galeries; côté cour, l'éventaire de la marchande de bonbons; côté jardin, une petite scène. Au lever du rideau, les spectateurs se promènent et bavardent. Par des bribes de conversation, on apprend que Cyrano veut empêcher la pièce d'être jouée et que ses amis, Le Bret et le pâtissier Ragueneau, sont inquiets des conséquences de ce pari.

Cyrano de Bergerac est un pauvre Cadet de Gascogne, un poète, un rêveur, une âme sensible, éprise du beau, dont la vie a été gâchée parce

qu'il est affligé d'un nez immense qui le ridiculise. Cyrano hait la laideur sous toutes ses formes. Autre Don Quichotte, il part en guerre, contre les abus, les préjugés, même s'il lui en coûte fortune et protection. Il a des ennemis sans nombre, entre autres le comte de Guiche, un
5 protégé de Richelieu, qui désire épouser Roxane. Cette jeune fille n'est autre que la cousine de Cyrano. Elle n'éprouve pour son cousin, qui est amoureux d'elle, qu'une affection toute fraternelle, tandis qu'elle déteste de Guiche et aime en secret un jeune Cadet, Christian de Neuvillette. C'est au cours du premier acte que Cyrano déclame la
10 fameuse «Tirade du nez» et qu'il compose, tout en se battant en duel contre un marquis, la non moins fameuse «Ballade du duel».

A l'entr'acte, j'ai aperçu derrière moi un étudiant que je connaissais un peu. Je l'ai invité à prendre quelque chose au bar. Il a bien voulu accepter mon invitation et nous nous sommes dirigés vers le bar
15 en passant par le foyer où les spectateurs ont l'habitude de se promener pendant l'entr'acte.

ROBERT (*au jeune Français*). Que puis-je vous offrir?

LE FRANÇAIS. Il fait bien chaud. Je prendrai volontiers un citron pressé.

20 ROBERT. Cela fait mon affaire aussi. Garçon, deux citrons pressés, s'il vous plaît.

LE GARÇON. Tout de suite, Monsieur.

ROBERT. Pouvez-vous me dire qui a créé le rôle de Cyrano? J'ai entendu dire que l'acteur était remarquable, mais je ne peux pas me
25 rappeler son nom.

LE FRANÇAIS. C'était Coquelin Aîné. Il a eu un succès fou dans ce rôle, paraît-il, car il a su se mettre, mieux qu'aucun autre, dans la peau du personnage. Mais voilà qu'on sonne la fin de l'entr'acte.

ROBERT. Dépêchons-nous de regagner nos places. Ce serait vrai-
30 ment dommage de manquer même une minute de la vie de l'infortuné Cyrano.

LE FRANÇAIS. Pardon, à qui est ce programme par terre?

ROBERT. Il est à moi, je crois.

LE FRANÇAIS. En effet, ce doit être le vôtre, puisque j'ai le mien dans
35 ma poche.

Cyrano n'ose avouer à Roxane qu'il l'aime, de peur qu'elle ne rie de sa laideur, mais il épanche son cœur en de multiples billets doux qu'il ne lui envoie pas. Roxane réussit à obtenir de son cousin qu'il l'aide à vaincre la timidité de Christian. Le jeune Cadet a la beauté qui a
40 séduit la jeune fille, mais il manque d'esprit et ne sait pas parler aux femmes. Cyrano se résout donc à souffler au jeune homme les mots d'amour qu'il brûle de dire à Roxane. Il lui suffit de préparer le jeune amoureux avant chacun de ses rendez-vous avec la jeune fille.

Roxane se laisse prendre au charme et à la ruse et bientôt, avec l'aide de Cyrano encore, elle épouse Christian que de Guiche, par dépit, envoie immédiatement à la guerre. Pendant la cérémonie nuptiale, Cyrano réussit à retenir de Guiche loin des jeunes gens en captivant son attention par la description de sept moyens de parvenir à la lune. 5

A Arras, au cours du siège, Christian est tué. Roxane désespérée, se retire loin du monde, dans un couvent, et pendant quatorze années, fidèlement, chaque samedi, Cyrano vieillissant viendra lui faire la chronique du monde et de la Cour. Il ne trahira pas son amour et ne dévoilera jamais non plus que la lettre d'adieu passionnée que Roxane 10 a trouvé sur Christian n'était pas du jeune homme, mais de lui, Cyrano. Avec les années, le poète est devenu de plus en plus amer. Ses ennemis sont plus puissants que jamais. Leurs forces croissent tandis que les siennes diminuent. Un jour, il est assassiné. Mais, avant de succomber, il a le courage d'aller faire à Roxane sa visite hebdomadaire, 15 hélas! la dernière. Dans cette heure suprême, Roxane devine enfin la supercherie qui a duré si longtemps. Elle comprend qu'à travers les lettres c'est Cyrano qu'elle a aimé. Il est trop tard, car Cyrano meurt.

Je suis rentré en taxi. Pendant le trajet, j'ai revu en pensée les dramatiques moments de la pièce qui reflètent au plus haut point le 20 talent de poète et d'auteur tragique de Rostand, considéré à juste titre comme l'un des plus grands noms du théâtre français du début du siècle.

CHOIX D'EXPRESSIONS

avoir l'habitude de + *inf.*	to be in the habit of
avoir un succès fou	to make a great hit
se laisser prendre à	to let oneself be taken in by, succumb to
par terre	on the ground, on the floor
faire son affaire	to be just the thing, just what one wants

QUESTIONNAIRE

1. Où Robert va-t-il le jour de la représentation de Cyrano de Bergerac? 2. Que représente le décor de la pièce au lever du rideau? 3. De qui Cyrano est-il amoureux? 4. Qui Roxane aime-t-elle? 5. Où Robert va-t-il pendant l'entr'acte? 6. Que prend-il au bar? 7. Qu'arrive-t-il au mari de Roxane? 8. Où Roxane se retire-t-elle? 9. Que fait Cyrano chaque samedi? 10. Quand Roxane comprend-elle que Cyrano l'a aimée? 11. Comment Robert Martin rentre-t-il à la Cité Universitaire?

MISE AU POINT GRAMMATICALE

51. POSSESSIVE PRONOUNS

TABLE

SINGULAR	PLURAL
le mien (*m.*)	**les miens**
la mienne (*f.*)	**les miennes**
le tien (*m.*)	**les tiens**
la tienne (*f.*)	**les tiennes**
le sien (*m.*)	**les siens**
la sienne (*f.*)	**les siennes**
le (la) nôtre (*m. and f.*)	**les nôtres**
le (la) vôtre (*m. and f.*)	**les vôtres**
le (la) leur (*m. and f.*)	**les leurs**

USE

1. Possessive pronouns replace a possessive adjective and a noun so as to avoid repetition of the noun. Like possessive adjectives they agree with the thing possessed and not, as in English, with the person who possesses.

2. To emphasize the possessive pronoun, or to prevent ambiguity, a disjunctive pronoun with **à** is placed after the possessive pronoun:

Voici des gants; **les miens** sont plus grands que **les siens, à elle.**	Here are some gloves; mine are bigger than hers.

3. The **le** and **les** of possessive pronouns contract with **de** and **à** to **du, des** and **au, aux:**

A-t-il besoin de mes livres et **des siens** aussi?	Does he need my books and his (*or* hers) also?
Il pense à mon ami et **au sien.**	He is thinking of my friend and of his (*or* hers).

4. The possessive pronouns regularly denote a distinction of ownership; ordinary possession is indicated by **à** + a disjunctive pronoun:

Cette voiture a l'air d'être **la vôtre** mais c'est **la mienne.**	This car looks like yours but it is mine (*definitely not yours*).
BUT: A qui est ce chapeau? —Il est **à moi.**	Whose hat is this? —It's mine.

52. SPECIAL TIME RELATIONSHIPS IDIOMATICALLY EXPRESSED

Beginning of the action—**se mettre à** + infinitive:

Il **se mit à rire.**	He began to laugh.

Duration of the action—**en train de** + infinitive:

Il est **en train de lire.**	He is in the act of (is busy) reading.

An action in the immediate future—**sur le point de** + infinitive:

Nous sommes **sur le point de partir.**	We are about to leave.

An action in the near future—**aller** + infinitive:

Je **vais partir** tout à l'heure.	I am going to leave shortly.

A probable future action—**devoir** + infinitive:

Nous **devons avoir** du monde à dîner ce soir.	We are to have some guests to dinner this evening.

An action that almost took place—**manquer de** + infinitive, **faillir** + infinitive:

Il a **manqué d'être tué.**	He almost got killed.
J'ai **failli tomber.**	I almost fell.

A very recent past action—**venir** (*pres.*) **de** + infinitive:

Il **vient de partir.**	He has just left.

Repetition of the action—**re** (*prefix*):

Tout le travail est à **refaire.**	All the work is to be done again.

DAILY VERBS

haïr[1] (*hate*)	haïssant	haï	hais	haïs
haïrai haïrais	haïssais	avoir haï		haïsse

PRES. IND. hais, hais, hait, haïssons, haïssez, haïssent
PRES. SUBJ. haïsse, haïsses, haïsse, haïssions, haïssiez, haïssent

[1] The vowel bearing the dieresis (trema) is pronounced separately from the preceding vowel.

rire (*laugh*)	riant	ri	ris	ris
rirai	riais	avoir ri		risse
rirais				

PRES. IND. ris, ris, rit, rions, riez, rient
PRES. SUBJ. rie, ries, rie, riions, riiez, rient

(**sourire,** *smile*)

croître (*grow*)	croissant	crû	croîs	crûs
croîtrai	croissais	avoir crû		crûsse
croîtrais				

PRES. IND. croîs, croîs, croît, croissons, croissez, croissent
PRES. SUBJ. croisse, croisses, croisse, croissions, croissiez, croissent

(**accroître,** *increase; p.p.* **accru**)

EXERCICES

I. Exercices sur les verbes: «haïr, rire, croître,» etc.

A. Mettez les phrases suivantes à l'imparfait et au conditionnel présent:

Exemple: Si tu vois une pièce drôle, tu riras.
—Si tu voyais une pièce drôle, tu rirais.

Si on plante des arbres, ils croîtront.
Si ce préjugé existe, je le haïrai.
Si vous rencontrez mon ami, vous sourirez.
Si nous assistons à une scène amusante, nous rirons.

B. Mettez les phrases suivantes au passé composé:

Exemple: Les enfants lui rirent au nez.
—Les enfants lui ont ri au nez.

Ton père accrut sa fortune.
Nous rîmes bien ce jour là.
Napoléon haït les Anglais.
Vous sourîtes à sa vue.

C. Mettez les phrases suivantes au subjonctif en commençant par **Il ne faut pas:**

Exemple: Vous haïssez vos ennemis.
—Il ne faut pas que vous haïssiez vos ennemis.

Les mauvaises herbes croissent dans le jardin.
Nous sourions tout le temps.
Nous haïssons nos voisins.
Vous riez trop fort.

II. Exercices sur la manière d'exprimer la possession

A. Répondez aux questions suivantes en mettant le pronom possessif à la place du nom et en commençant par **Oui, c'est,** ou **Oui, ce sont:**

Exemple: Est-ce mon livre? —Oui, c'est le vôtre.

Est-ce votre père?
Est-ce sa classe?
Est-ce que ce sont nos frères?
Est-ce que ce sont leurs tantes?
Est-ce notre université?
Est-ce que ce sont vos gants?
Est-ce que ce sont vos sœurs?
Est-ce que c'est leur oncle?

B. Dans les expressions suivantes, remplacez les noms par les pronoms possessifs correspondants:

Exemple: Voici ta mère. —Voici la tienne.

Voici ton fauteuil d'orchestre.
Voici votre professeur.
Voici nos places.
Voici ma chaise.
Voici leur tante.
Voici notre programme.
Voici tes amis.
Voici mon billet.

C. Dans la deuxième partie de la comparaison, remplacez le nom précédé d'un adjectif possessif par un pronom possessif:

Exemple: Sa ville est plus grande que ma ville.
—Sa ville est plus grande que la mienne.

Son père est plus jeune que mon père.
Ta sœur est aussi belle que sa sœur.
Votre maison est plus petite que notre maison.
Vos exercices sont aussi faciles que nos exercices.
Nos fenêtres sont plus larges que leurs fenêtres.
Nos journaux sont plus intéressants que tes journaux.

D. Dans la deuxième proposition des phrases suivantes, remplacez le nom précédé d'un adjectif possessif par un pronom possessif:

Exemple: Je pense à mon pays, pensez à votre pays.
—Je pense à mon pays, pensez au vôtre.

Je me souviens de mes fautes, souviens-toi de tes fautes.
Nous faisons attention à notre accent, fais attention à ton accent.
Je répondrai à mes lettres, vous répondrez à vos lettres.
Ces enfants parlent de leurs parents, nous parlons de nos parents.

E. Transformez les phrases suivantes en questions que vous commencerez avec un adjectif démonstratif:

Exemple: Voici tes gants.
—Ces gants sont-ils à toi?

Voici mon billet.
Voici nos places.
Voici ta chambre.
Voici les livres des étudiantes.
Voici la montre de la dame.
Voici votre programme.

III. Exercices sur la manière d'exprimer la notion de temps

A. Dans les phrases suivantes, remplacez le verbe **commencer** par **se mettre à:**

Exemple: Vous commencez à lire à cinq heures.
—Vous vous mettez à lire à cinq heures.

Vous commencez à bien parler français.
C'est ce jour-là que cet auteur commença à écrire un livre.
Vous commenciez à travailler à sept heures.
Tu commenceras à suivre des cours cet hiver.

B. Répondez aux questions suivantes en utilisant **être en train de . . .:**

Exemple: Lit-il en ce moment?
—Oui, il est en train de lire.

Répétez-vous ces phrases maintenant?
Fais-tu tes exercices maintenant?
Écoutiez-vous la radio ce soir là?
Travailleront-ils à ce moment là?

C. Dans les phrases suivantes, remplacez le futur proche par **être sur le point de:**

Exemple: Tu vas sortir. —Tu es sur le point de sortir.

Nous allons assister à ce spectacle.
Les experts vont visiter New-York.
Vous allez quitter l'université.
Je vais répondre à cette question.

D. Mettez les phrases suivantes au futur proche en les commençant par **tout à l'heure:**

Exemple: Nous ferons une promenade.
—Tout à l'heure, nous allons faire une promenade.

Vous applaudirez les acteurs.
Je m'assiérai au troisième rang.
Nous achèterons un programme.
Tu iras au théâtre.
L'ouvreuse recevra un pourboire.

E. Transformez les phrases suivantes en utilisant le présent de **devoir** + l'infinitif, au lieu du futur:

Exemple: Nous aurons des invités ce soir.
—Nous devons avoir des invités ce soir.

Ce journaliste écrira un article sur Paris.
Tu sortiras tout à l'heure.
Ce professeur fera une conférence sur l'Amérique.
Ces artistes joueront une pièce d'Edmond Rostand.
Vous irez bientôt en France.

F. Mettez les phrases suivantes au singulier:

Exemple: Ces enfants ont failli mourir.
—Cet enfant a failli mourir.

Nous avons failli tomber.
Vous avez manqué d'être tués.
Nous avons manqué de nous casser le bras.
Ces étudiantes ont failli voir le Président des États-Unis.

G. Transformez les phrases suivantes en utilisant **venir de:**

Exemple: Vous êtes arrivés à l'instant.
—Vous venez d'arriver.

Je suis sorti, il y a une minute.
Tu as fini ce travail, il y a un quart d'heure.

Ils ont loué des places au théâtre, il y a cinq minutes.
Votre frère est parti, il y a une heure.

H. Répétez les phrases suivantes en commençant le verbe par **re** et en supprimant **encore une fois** ou **de nouveau** ou **encore:**

Exemple: Appelez votre mère de nouveau.
—Rappelez votre mère.

Montons encore une fois l'escalier.
Prenez encore de ce bon gâteau.
Faites ce travail de nouveau.
Lis ce livre de nouveau.

THÈME

1. They are beginning to work.
2. Every man has two countries: his own and (**puis**) France.
3. Whose program is this? It must be yours, for mine is in my pocket.
4. One must love one's neighbor. I love mine, do you love yours?
5. Of these two teams, yours seems better than ours.
6. This child almost got killed.
7. They are about to leave.
8. My sister has just left.
9. All these exercises are to be done again.
10. Your friends have just arrived and they will be delighted to see you.

appendix I

VERBS

THE REGULAR CONJUGATIONS

I	II	III
INFINITIVE MOOD (INFINITIF)		
PRESENT (PRÉSENT)		
donn **er,** *to give*	fin **ir,** *to finish*	romp **re,** *to break*
PARTICIPLES (PARTICIPES)		
PRESENT (PRÉSENT)		
donn **ant,** *giving*	fin **iss ant,** *finishing*	romp **ant,** *breaking*
PAST (PASSÉ)		
donn **é,** *given*	fin **i,** *finished*	romp **u,** *broken*
INDICATIVE MOOD (INDICATIF)		
PRESENT (PRÉSENT)		
I give, I am giving, I do give	*I finish, I am finishing, I do finish*	*I break, I am breaking, I do break*
je donn **e**	je fin **is**	je romp **s**
tu donn **es**	tu fin **is**	tu romp **s**
il donn **e**	il fin **it**	il romp **t**[1]
nous donn **ons**	nous fin **iss ons**	nous romp **ons**
vous donn **ez**	vous fin **iss ez**	vous romp **ez**
ils donn **ent**	ils fin **iss ent**	ils romp **ent**

[1] The ending –**t** is not added if the stem ends in **d** (see **répondre,** § 2).

IMPERFECT (IMPARFAIT)

I was giving, I gave, I did give, I used to give	*I was finishing, I finished, I did finish, I used to finish*	*I was breaking, I broke, I did break, I used to break*
je donn **ais**	je fin **iss ais**	je romp **ais**
tu donn **ais**	tu fin **iss ais**	tu romp **ais**
il donn **ait**	il fin **iss ait**	il romp **ait**
nous donn **ions**	nous fin **iss ions**	nous romp **ions**
vous donn **iez**	vous fin **iss iez**	vous romp **iez**
ils donn **aient**	ils fin **iss aient**	ils romp **aient**

PAST DEFINITE (PASSÉ SIMPLE)

I gave, I did give	*I finished, I did finish*	*I broke, I did break*
je donn **ai**	je fin **is**	je romp **is**
tu donn **as**	tu fin **is**	tu romp **is**
il donn **a**	il fin **it**	il romp **it**
nous donn **âmes**	nous fin **îmes**	nous romp **îmes**
vous donn **âtes**	vous fin **îtes**	vous romp **îtes**
ils donn **èrent**	ils fin **irent**	ils romp **irent**

FUTURE (FUTUR)

I shall (will) give	*I shall (will) finish*	*I shall (will) break*
je donner **ai**	je finir **ai**	je rompr **ai**
tu donner **as**	tu finir **as**	tu rompr **as**
il donner **a**	il finir **a**	il rompr **a**
nous donner **ons**	nous finir **ons**	nous rompr **ons**
vous donner **ez**	vous finir **ez**	vous rompr **ez**
ils donner **ont**	ils finir **ont**	ils rompr **ont**

PRESENT CONDITIONAL (CONDITIONNEL PRÉSENT)

I should (would) give	*I should (would) finish*	*I should (would) break*
je donner **ais**	je finir **ais**	je rompr **ais**
tu donner **ais**	tu finir **ais**	tu rompr **ais**
il donner **ait**	il finir **ait**	il rompr **ait**
nous donner **ions**	nous finir **ions**	nous rompr **ions**
vous donner **iez**	vous finir **iez**	vous rompr **iez**
ils donner **aient**	ils finir **aient**	ils rompr **aient**

SUBJUNCTIVE MOOD (SUBJONCTIF)

PRESENT (PRÉSENT)

(*that*) *I may give*	(*that*) *I may finish*	(*that*) *I may break*
(que) je donn **e**	(que) je fin **iss e**	(que) je romp **e**
tu donn **es**	tu fin **iss es**	tu romp **es**
il donn **e**	il fin **iss e**	il romp **e**
nous donn **ions**	nous fin **iss ions**	nous romp **ions**
vous donn **iez**	vous fin **iss iez**	vous romp **iez**
ils donn **ent**	ils fin **iss ent**	ils romp **ent**

IMPERFECT (IMPARFAIT)

(*that*) *I might give*	(*that*) *I might finish*	(*that*) *I might break*
(que) je donn **asse**	(que) je fin **isse**	(que) je romp **isse**
tu donn **asses**	tu fin **isses**	tu romp **isses**
il donn **ât**	il fin **ît**	il romp **ît**
nous donn **assions**	nous fin **issions**	nous romp **issions**
vous donn **assiez**	vous fin **issiez**	vous romp **issiez**
ils donn **assent**	ils fin **issent**	ils romp **issent**

IMPERATIVE MOOD (IMPÉRATIF)

give	*finish*	*break*
donn **e**	fin **is**	romp **s**
(qu'il donn **e**)	(qu'il fin **iss e**)	(qu'il romp **e**)
donn **ons**	fin **iss ons**	romp **ons**
donn **ez**	fin **iss ez**	romp **ez**
(qu'ils donn **ent**)	(qu'ils fin **iss ent**)	(qu'ils romp **ent**)

THE AUXILIARY VERBS

INFINITIVE (INFINITIF)

PRES. avoir, *to have* **PRES.** être, *to be*

PARTICIPLES (PARTICIPES)

PRES. ayant, *having* **PRES.** étant, *being*
PAST eu, *had* **PAST** été, *been*

INDICATIVE MOOD (INDICATIF)

PRESENT (PRÉSENT)

I have, I am having, I do have		*I am*	
j'ai	nous avons	je suis	nous sommes
tu as	vous avez	tu es	vous êtes
il a	ils ont	il est	ils sont

IMPERFECT (IMPARFAIT)

I was having, I had, I did have		*I was*	
j'avais	nous avions	j'étais	nous étions
tu avais	vous aviez	tu étais	vous étiez
il avait	ils avaient	il était	ils étaient

PAST DEFINITE (PASSÉ SIMPLE)

I had, I did have		*I was*	
j'eus	nous eûmes	je fus	nous fûmes
tu eus	vous eûtes	tu fus	vous fûtes
il eut	ils eurent	il fut	ils furent

FUTURE (FUTUR)

I shall (will) have		*I shall (will) be*	
j'aurai	nous aurons	je serai	nous serons
tu auras	vous aurez	tu seras	vous serez
il aura	ils auront	il sera	ils seront

PRESENT CONDITIONAL (CONDITIONNEL PRÉSENT)

I should (would) have		*I should (would) be*	
j'aurais	nous aurions	je serais	nous serions
tu aurais	vous auriez	tu serais	vous seriez
il aurait	ils auraient	il serait	ils seraient

SUBJUNCTIVE MOOD (SUBJONCTIF)

PRESENT (PRÉSENT)

(that) I may have		*(that) I may be*	
(que) j'aie	nous ayons	(que) je sois	nous soyons
tu aies	vous ayez	tu sois	vous soyez
il ait	ils aient	il soit	ils soient

IMPERFECT (IMPARFAIT)

(that) I might have		*(that) I might be*	
(que) j'eusse	nous eussions	(que) je fusse	nous fussions
tu eusses	vous eussiez	tu fusses	vous fussiez
il eût	ils eussent	il fût	ils fussent

IMPERATIVE MOOD (IMPÉRATIF)

have		*be*	
aie	ayons	sois	soyons
qu'il ait	ayez	qu'il soit	soyez
	qu'ils aient		qu'ils soient

THE COMPOUND TENSES

(*Auxiliary* **avoir**)

PERFECT INFINITIVE (INFINITIF PASSÉ)	avoir donné, *to have given*
PERFECT PARTICIPLE (PARTICIPE COMPOSÉ)	ayant donné, *having given*

INDICATIVE MOOD (INDICATIF)

PRESENT PERFECT (PASSÉ COMPOSÉ)	j'ai donné, etc., *I have given, etc.*
PLUPERFECT (PLUS-QUE-PARFAIT)	j'avais donné, etc., *I had given, etc.*
SECOND PLUPERFECT (PASSÉ ANTÉRIEUR)	j'eus donné, *I had given, etc.*
FUTURE PERFECT (FUTUR ANTÉRIEUR)	j'aurai donné, etc., *I shall have given, etc.*
CONDITIONAL PERFECT (CONDITIONNEL PASSÉ)	j'aurais donné, etc., *I should have given, etc.,*

SUBJUNCTIVE MOOD (SUBJONCTIF)

PRESENT PERFECT (SUBJONCTIF PASSÉ)	j'aie donné, etc., *I may have given, etc.*
PLUPERFECT (PLUS-QUE-PARFAIT DU SUBJONCTIF)	j'eusse donné, etc., *I might have given, etc.*

(*Auxiliary* **être**)

PERFECT INFINITIVE (INFINITIF PASSÉ)	être venu(e)(s), *to have come*
PERFECT PARTICIPLE (PARTICIPE COMPOSÉ)	étant venu(e)(s), *having come*

INDICATIVE MOOD (INDICATIF)

PRESENT PERFECT (PASSÉ COMPOSÉ)	je suis venu(e), etc., *I have come, etc.*
PLUPERFECT (PLUS-QUE-PARFAIT)	j'étais venu(e), etc., *I had come, etc.*
SECOND PLUPERFECT (PASSÉ ANTÉRIEUR)	je fus venu(e), etc., *I had come, etc.*
FUTURE PERFECT (FUTUR ANTÉRIEUR)	je serai venu(e), etc., *I shall have come, etc.*
CONDITIONAL PERFECT (CONDITIONNEL PASSÉ)	je serais venu(e), etc., *I should have come, etc.*

SUBJUNCTIVE MOOD (SUBJONCTIF)

PRESENT PERFECT (SUBJONCTIF PASSÉ)	je sois venu(e), etc., *I may have come, etc.*
PLUPERFECT (PLUS-QUE-PARFAIT DU SUBJONCTIF)	je fusse venu(e), etc., *I might have come, etc.,*

ORTHOGRAPHICAL PECULIARITIES OF THE FIRST CONJUGATION

1. Verbs ending in **–cer** change **c** to **ç** before **a** or **o,** in an ending, in order to keep the soft (s) sound of **c:**

commencer (*commence*), commençant, commençons, commençais, commençai. *BUT:* commencions, commencèrent

2. Verbs in **–ger** change **g** to **ge** before **a** or **o,** in an ending, to keep the soft (ʒ) sound of **g:**

manger (*eat*), mangeant, mangeons, mangeais, mangeai. *BUT:* mangions, mangèrent

3. Verbs in **–yer** change **y** to **i** before **e** mute. Verbs in **–ayer,** however, may also retain the **y.**

nettoyer (*clean*), nettoie, nettoierai; **essuyer** (*wipe*), essuie, essuierai. *BUT:* **payer** (*pay*), paye *or* paie, payerai *or* paierai, etc.

4. Most verbs whose stem vowel is unaccented **e** change this vowel to **è** when the next syllable contains a mute **e.** Some of the verbs ending in **–eler** and **–eter,** however, double the **l** and **t** instead[1]:

mener (*lead*), mène, mènerai. *BUT:* menons, menais. **geler** (*freeze*), gèle, gèlerai; **acheter** (*buy*), achète, achèterai. *BUT:* **appeler** (*call*), appe**ll**e, appe**ll**erai; **jeter** (*throw*), je**tt**e, je**tt**erai.

(*a*) Verbs whose stem vowel is **é** are like **mener,** but retain the **é** in the future and present conditional:

espérer (*hope*), espère, espèrent. *BUT:* espérerai, espérerais. **céder** (*yield*), cède, cèdent. *BUT:* céderai, céderais.[2]

EXERCICES

Traduire en français:

(VOCABULAIRE: **acheter,** *buy;* **appeler,** *call;* **commencer,** *begin;* **corriger,** *correct;* **espérer,** *hope;* **essuyer,** *wipe;* **geler,** *freeze;* **jeter,** *throw;* **se lever,** *get up;* **manger,** *eat;* **nettoyer,** *clean;* **payer,** *pay;* **peler** (like **geler**), *peel;* **préférer,** *prefer;* **se promener,** *go walking;* **prononcer,** *pronounce;* **répéter,** *repeat;* **gant** *m. glove;* **pomme de terre** *f. potato.*)

1. I am buying a car. 2. He will not buy that house. 3. They are calling you. 4. She was not calling me. 5. We shall call the soldiers. 6. Let's begin. 7. He was beginning. 8. We correct our exercises. 9. She is wiping her hands. 10. It will freeze tonight. 11. They are throwing it to us. 12. We used to throw it well. 13. She gets up early. 14. We get up late. 15. He used to eat a lot. 16. She is cleaning her gloves. 17. They will clean the house. 18. She prefers to stay home. 19. We shall take a walk tomorrow. 20. I hope to see you soon. 21. She is peeling the potatoes. 22. Let us pronounce well. 23. I must pay the doctor. 24. The teacher repeats the word many times. 25. You were eating the apple. 26. He calls us. 27. She used to pronounce well. 28. They will repeat the exercise. 29. They must (**Il faut que**) buy the book. 30. She will prefer to study French.

[1] The general phonetic principle involved here is the avoidance of the combination "mute **e**+consonant+mute **e.**" [2] The general principle involved here is that the acute accent never remains in a syllable ending in a consonant sound.

REFERENCE LIST OF IRREGULAR VERBS

The numbers below indicate units in the text. For the orthographical peculiarities of verbs of the first conjugation, see page 212.

A

absoudre	14
accroître	16
accueillir	12
acquérir	15
admettre	7
aller	4
apercevoir	8
appartenir	2
apprendre	6
asseoir	13
avoir	1

B

battre	10
boire	9

C

commettre	7
comprendre	6
concevoir	8
conclure	15
conduire	11
connaître	9
conquérir	15
construire	11
contenir	2
courir	10
couvrir	12
craindre	12
croire	4
croître	16
cueillir	12

D

décevoir	8
découvrir	12
décrire	7
détruire	11
devenir	2
devoir	5
dire	4
dormir	6

E

écrire	7
élire	8
endormir	6
entreprendre	6
envoyer	6
éteindre	12
être	1

F

faire	3
falloir	5
fuir	12

H

haïr	16

I

inscrire	7

J

joindre	12

L

lire	8

M

mentir	6
mettre	7
mourir	11

N

naître	10

O

obtenir	2
offrir	12
ouvrir	12

P

paraître	9
parcourir	10
partir	6
peindre	12
permettre	7
plaindre	12

appendix II

NUMBERS. DATES. TIME. MONEY. MEASURES

NUMBERS

TABLE OF CARDINAL NUMBERS

0	zéro	15	quinze	80	quatre-vingts
1	un, une	16	seize	81	quatre-vingt-un
2	deux	17	dix-sept	90	quatre-vingt-dix
3	trois	18	dix-huit	91	quatre-vingt-onze
4	quatre	19	dix-neuf	92	quatre-vingt-douze
5	cinq	20	vingt	100	cent
6	six	21	vingt et un	101	cent un
7	sept	22	vingt-deux	200	deux cents
8	huit	30	trente	201	deux cent un
9	neuf	31	trente et un	1000	mille
10	dix	40	quarante	1001	mille un
11	onze	50	cinquante	4000	quatre mille
12	douze	60	soixante	1,000,000	= **un million**
13	treize	70	soixante-dix	1,000,000,000	= **un milliard**
14	quatorze	71	soixante et onze		

The final consonants of the numbers 5, 6, 7, 8, 9, 10, 17, 18, 19 are pronounced except before a word beginning with a consonant (not **h** mute) when this word is multiplied by the number. However, the **t** of **sept** is now pronounced at all times.
The **t** of **vingt** is pronounced only in the numbers from 21 to 29 (and in liaison); **t** is silent in the numbers from 81 to 99, and in 101, 102, etc.

1. The word **un,** *a* or *one*, is not used before the numeral adjectives **cent** or **mille,**[1] but **un** or **une** must be used with the nouns **centaine, millier, million,** and **milliard,** all of which also require **de,** *of*, after them:

Cent (mille) francs.	One hundred (one thousand) francs.
Un million (milliard) de francs.	One million (one billion) francs.

[1] See § 44

2. **Quatre-vingt** and multiples of **cent** take **s** when not followed by another number[1]:

Quatre-vingts francs.	Eighty francs.
Quatre cents francs.	Four hundred francs.
BUT: **Quatre-vingt-dix francs.**	Ninety francs.
Quatre cent dix francs.	Four hundred and ten francs.

3. **Mille** does not take **s.** It becomes **mil** in dates, although not so frequently used as the form in hundreds[2]:

Quatre mille soldats.	Four thousand soldiers.
L'année mil neuf cent vingt *or* dix-neuf cent vingt.	The year one thousand nine hundred and twenty *or* nineteen hundred and twenty.

4. **Huit** and **onze** do not permit elision (or liaison):

Le huit, le onze.	The eight, the eleven.

5. **Et** is used only in 21, 31, 41, 51, 61, 71, never in 81, 91, 101:

vingt et un, quatre-vingt-un, cent un

6. With the exception of **premier** and **second,**[3] the ordinals are formed by adding **–ième** to the cardinals. Final **e** is dropped, **u** is inserted after **cinq,** and **f** becomes **v** in **neuf.**

deuxième, quatrième, cinquième, neuvième

DATES

In dates and titles, cardinals are used for ordinals except for *first.* In dates, the English words *on* and *of* are omitted.

J'ai vu Élisabeth II le douze juin.	I saw Elizabeth II on the twelfth of June.
Napoléon Ier (premier).	Napoleon the First.
Quel jour du mois sommes-nous?	What is the date?
Nous sommes le quatorze juillet.	It is the fourteenth of July.

[1] The decree of the Minister of Public Instruction in 1901 permits the **s** even when **quatre-vingt** and **cent** are followed by another number. [2] **Mille** is also allowed in dates. [3] **Deuxième** is ordinarily used instead of **second** in a series of more than two, and in compounds. **Le second empire,** *the second empire* (of two); **la deuxième république,** *the second republic* (of more than two). **La vingt-deuxième page,** *the twenty-second page.*

TIME OF DAY[1]

Quelle heure est-il?	What time is it?
Il est cinq heures dix.	It is ten minutes after five (o'clock).
Il est cinq heures (et) (un) quart.	It is quarter after five (o'clock).
Il est cinq heures et demie.	It is half past five (o'clock).
Il est cinq heures moins dix.	It is ten minutes to five (o'clock).
Il est cinq heures moins le (un) quart.	It is quarter to five (o'clock).
Il est midi (minuit, *masc.*) et demi.	It is half past twelve noon (midnight).
A quelle heure?	At what time?
A huit heures du matin.	At eight o'clock in the morning *or* eight A.M.

MONEY

100 **centimes** (20 **sous**[2]) = 1 **franc.** (Price varies. See the papers.)

COMMON WEIGHTS AND MEASURES

Un mètre	= 39.37 inches (*about*)
Un centimètre	= 0.4 inch (*about*)
Un kilomètre	= $\frac{5}{8}$ of a mile (*about*)
Un kilogramme (un kilo)	= $2\frac{1}{5}$ pounds (*about*)
Une livre ($\frac{1}{2}$ kilogramme)	= $1\frac{1}{10}$ pounds (*about*)
Un litre	= 1 quart (liquid) (*about*)
Un hectare (h *mute*)	= $2\frac{1}{2}$ acres (*about*)

[1] Contrary to ordinary English usage, the French gives the hour first, then adds or subtracts the minutes. [2] The term **sou** is used colloquially in reckoning, but **francs** and **centimes** only are officially recognized.

appendix III

GENDER OF NOUNS

MASCULINE NOUNS

The nouns found in the following groups are masculine:

		EXAMPLES	EXCEPTIONS
1. Names of languages		le français le latin	
2. Names of seasons		le printemps un été	
3. Names of the days of the week		le dimanche	
4. Names of the months		ce janvier cet août	
5. Cardinal points		le nord le sud	
6. Names of countries which do not end in **e**		le Canada le Japon	le Mexique
7. Most nouns ending in			
	–age	le courage l'entourage le garage	la page[1]
	–eau	le chapeau le plateau	la peau l'eau
	–et	le billet	
	–ier	le papier	
	–in	le vin	la fin
	–ment	le moment	
	–o	le piano	une auto
	–ot	le mot	
	–ou	le genou	
	–sme	un enthousiasme	

[1] Note also the following exceptions: **la cage, une image, la nage, la plage, la rage.** In these words **–age** is not a suffix.

FEMININE NOUNS

The names found in the following groups are feminine:

		EXAMPLES	EXCEPTIONS
1. Names of countries ending in **e**		la France la Suisse	le Mexique
2. Names of fruit		la pomme la banane la poire	le citron le raisin[1] le melon
3. Most nouns ending in			
	–aison	la maison	
	–ée	la soirée la dictée	le musée le lycée
	–esse	la politesse	
	–ette	une serviette	
	–euse	la danseuse	
	–ière	une ouvrière	
	–ion	une expression	un million un avion
	–té[2]	la bonté	
	–trice	une actrice	
	–ude	une habitude	
	–ure	la nature	le murmure

A FEW NOUNS THAT CHANGE THEIR MEANING ACCORDING TO THEIR GENDER

le livre,	book	la livre,	pound
le poste,	position	la poste,	post office
le tour,	trick; trip	la tour,	tower
le page,	page boy	la page,	page of a book
le garde,	keeper, guard	la garde,	guard (body of troops)

[1] *Grape.* [2] Abstract nouns.

vocabulary

FRENCH–ENGLISH

Personal pronouns, possessive adjectives, articles, numerals, and very evident cognates are omitted from this Vocabulary.

A

à to, at, in; (*descriptive*) with
abandon *m.* one who drops out of a race
abord: d'—first
abréviation *f.* abbreviation
abriter shelter, house, be the seat of
s'absenter be (stay) away
absoudre absolve
abus *m.* abuse
accepter accept, agree
acclamation *f.* acclamation, cheering
accompagner accompany
accomplir perform, accomplish
accord *m.* agreement
s'accoutumer (à) become accustomed (to), get used (to)
accrocher hang
accroître increase
accueil *m.* welcome, greeting, reception
accueillir receive, greet, welcome
achat *m.* purchase
acheter buy
achever conclude; **s'**— end
acquérir acquire, win, gain possession of (*through purchase*)
acteur *m.* actor
acti-f, -ve active
activité *f.* activity
actuel, -le present-day
actuellement at the present time
addition *f.* check (*café*), bill
additionner add up
admettre accept, admit
administrateur *m.* director
admirer admire
adresse *f.* address; **à l'— de** directed to, intended for
adresser address, send, offer; **s'**— apply to, go see, go to
affaire *f.* affair, business, matter, transaction; **faire mon** — be just what I want; **avoir votre** — have just what you want
affectueu-x, -se affectionate
affligé distressed, grieved, afflicted
affranchi free
afin de in order to; **afin que** in order that
âge *m.* age; **Moyen Age** Middle Ages
âgé old
agence (*f.*) **de Théatres** (*theater*) ticket agency
agir act; **s'— de** concern, be a question of
s'agiter to move about
agréable agreeable
agréer accept, receive
agricole agricultural
aide *f.* help
aider (à) help
aïeux *m. pl.* ancestors
aigle *m.* eagle; **les —s** *f.* military standards
ailleurs elsewhere; **d'**— moreover, besides
aimable kind, pleasant
aimablement courteously, kindly
aimer like, love; — **mieux** prefer
ainsi thus; **pour — dire** so to speak; — **que** as well as
air *m.* air, appearance; **avoir l'— (de)** appear, seem, look like
aise (de) glad
ajouter add
alentour: d'— of the neighborhood
allée *f.* walk, lane
Allemagne *f.* Germany

aller go; **s'en** — go away, leave; **comment allez-vous?** how are you?
allumer light
allumette *f.* match
alors then
amabilité kindness
ambassadeur *m.* messenger
ambiance *f.* atmosphere, environment
âme *f.* soul
améliorer improve
amener bring
am-er, -ère bitter
américain American
Amérique *f.* America
ami *m.*, **amie** *f.* friend; **mon** — my dear
amour *m.* love
amoureux *m.* sweetheart, young man in love
amusant funny, fun
s'amuser (à) have a good time
an *m.* year
ancien, -ne former, ancient
anglais *adj.* English; *n. m.* English (*language*)
Angleterre *f.* England
année *f.* year (*in extent*)
anniversaire *m.* anniversary
annoncer to make known, promise; **s'**— look
anticipé anticipatory
anxieu-x, -se anxious
août *m.* August
apercevoir see, perceive; **s'**— notice
apéritif *m.* light drink (*before a meal*)
appartenir belong
appel *m.* call
appeler call; **s'**— be called or named
applaudissement *m.* applause
apporter bring
apprécier appreciate
apprendre (à) learn (how); teach
après after (*time*)
après-midi *m. and f.* afternoon
s'apprêter to get ready
approbation *f.* approval
s'approcher de approach
arbre *m.* tree
arc de triomphe *m.* triumphal arch
argent *m.* money
arme *f.* branch (*of the army*); — **à feu** firearm
armée *f.* army
arrêter stop, arrest; **s'**— stop
arrivée *f.* arrival
arriver arrive, happen; — **à** succeed
art *m.* art; **d'**— skilled
artisan *m.* craftsman
artiste *m. and f.* artist
artistique artistic
s'asseoir sit down
assez (de) enough, rather
assimiler assimilate
assis seated
assistant *m.* bystander, onlooker
assister (à) attend
assomption *f.* assumption; **l'Assomption** Feast of the Assumption
assurer assure, secure
atteindre attain, reach
attendant: en — **que** meanwhile
attendre wait, wait for, expect; **s'attendre à** expect; **en attendant que** until
attention *f.*: **faire** — look out, beware
attirer attract
attrayant attractive
aucun *adj.* no; *pron.* none
au-dessus above
aujourd'hui today
auprès de from
aussi as, also, consequently, so
aussitôt at once, immediately; — **que** as soon as
autant (de) as many, as much; **d'**— **plus . . . que** all the more . . . because (as)
auteur *m.* author
autobus *m.* bus
automne *m.* autumn
autour (de) around
autre other, different
autrefois formerly
avance *f.*: **à l'**— in advance
avancé advanced

s'avancer advance
avant (de) before (*time*); — **que** before
avec with
avenir *m.* future; **à l'**— in the future
avion *m.* airplane
avis *m.* opinion; **être d'**— be of the opinion
avoir have; — **beau** + *inf.* do something in vain (without success); — **besoin de** need; — **chaud** be hot; — **envie (de)** feel like; — **faim** be hungry; — **froid** be cold; — **hâte (de)** be in a hurry; — **honte** be ashamed; — **peur (de)** be afraid; — **raison (de)** be right; — **soif** be thirsty; — **sommeil** be sleepy; — **tort (de)** be wrong; — **votre affaire** have just what you want; — **de la peine à** have difficulty in; **il y a** there is (are); **il y a** (+ *expression of time*) ago; — **l'air** appear, seem; — **du mal à** have difficulty in
avril *m.* April.
avouer confess

B

bal *m.* dance
ballon *m.* inflated ball (*for football*)
banlieue *f.* suburbs
banque *f.* bank
banquette *f.* bench; wall sofa, double seat (*in a restaurant*)
barbe *f.* beard
bas: en — (down) below
basilique *f.* basilica
bateau *m.* boat
bâtiment *m.* building
bâtir build
battre beat; **se** — fight
bavarder chat, gossip
beau, bel, belle beautiful, handsome; **avoir beau** + *inf.* do something in vain (without success); **beau** *m.* all that is beautiful
beaucoup (de) much, many, a great deal
beauté *f.* beauty
bébé *m.* baby
bén-in, - igne kindly, benign
besoin *m.* need; **avoir** — **de** (to) need
beurre *m.* butter
bibelot *m.* trinket, knick-knack
bibliothèque *f.* library
bicyclette *f.* bicycle
bien well, very clearly, favorably, very much, a great deal, much, many; — **des fois** many times; — **entendu** of course; — **que** although
bientôt soon
bienveillance *f.* good will, kindness
bienvenu: soyez le — welcome
bienvenue *f.* welcome
bière *f.* beer
billet *m.* ticket; note; — **doux** love letter
blanc, blanche white
bleu blue
blond fair
boire drink
boîte *f.* box
bon, -ne good
bonbon *m.* (piece of) candy; —**s** candy
bonheur *m.* good fortune, happiness
boisson *f.* beverage, drink
bonjour *m.* good morning
bonne *f.* maid, servant
bonsoir *m.* good evening
bonté *f.* kindness
bord *m.*: **au** — **de la mer** at the seashore
bouche *f.* mouth
boucle *f.* loop
bouddha *m.* Buddha
boule *f.* ball, wooden ball
bouleverser upset
bouquin *m.* old book
bouquiniste *m.* seller of old books
bourgogne *m.* Burgundy wine
bousculade *f.* jostling
bout *m.* end; **au** — **de** at the end of, after
bouteille *f.* bottle
boutique *f.* shop
bras *m.* arm

brave fine, nice, honest, brave
bribes *f.pl.* scraps
briller shine, sparkle
brioche *f.* bun
brise *f.* breeze
britannique British
bruit *m.* noise
brûler burn
bruyant noisy
but *m.* purpose, aim, object
butte *f.* hillock; **la Butte** *popular name for the Montmartre Quarter*

C

ça see **cela**
cabine *f.* cabin
cabinet de travail *m.* study
cadeau *m.* gift, present
cadet *m.* youngest son; **—s de Gascogne** *regiment composed of young Gascons*
cadre *m.* frame, setting
café *m.* coffee; restaurant, pub
cahier *m.* copy-book
caisse *f.* case, box
camarade *m. and f.* comrade, friend
campagne *f.* country
cantique *m.* hymn
capacité *f.* ability
capitale *f.* capital
captiver fascinate
car *conj.* for (*cause*)
caractéristique characteristic
carré square
carrière *f.* career
carte *f.* card
cas *m.* case; **en tout** — at any rate
casser break
catholique catholic
cause *f.* cause; **à — de** on account of
cela (ça) that; **c'est** — that's it, that's right
célèbre famous
célébrer celebrate
celui, celle (ceux, celles) that one, this one (these, those); — **-ci** the latter; — **-là** the former
cent (a) hundred
centre *m.* center; **en plein** — right in the center
cependant however
céréales *f. pl.* cereal plants, grains
cérémonie *f.* ceremony
cesser (de) cease, stop
c'est-à-dire that is (to say)
chacun each one
chagrin *m.* sorrow, grief
chahut *m.* booing
chahuter make a noisy disturbance, express disapproval, boo
chaise *f.* chair
chaleureusement warmly, heartily
chaleureu-x, -se warm, hearty
chambre *f.* room
champ *m.* field; **sur le** — at once
Champagne *f.* ancient French province
champagne *m.* wine from the province of Champagne
Champs-Élysées *the best-known and most impressive avenue in Paris, extending from the Place de la Concorde to the Place de l'Étoile*
chance *f.* luck
chanson *f.* song
chanter sing
chapeau *m.* hat
chapelle *f.* chapel
chaque each
charbon *m.* coal
charme *m.* charm
chat *m.* cat
château *m.* castle
chaud hot; **il fait** — it is hot (*weather*)
chef *m.* chief
chef-d'œuvre *m.* masterpiece
chemin *m.* road, way; — **de fer** railroad
cher, chère dear, expensive; **mon cher** my dear fellow; **ma chère** my dear; **chérie** my dear
chercher (à) look for, seek; try to
cheval *m.* horse
cheveux *m. pl.* hair
chez at the house of, among, in the care of

chien *m.* dog
chienne *f.* bitch
chiffre *m.* figure
chœur *m.* chorus, choir
choisi selected
choisir choose
choix *m.* choice
chose *f.* thing; **quelque** — *m.* something
chronique *f.* chronicle; **faire la** — tell the events
chrysanthème *m.* chrysanthemum
ciel *m.* sky, heaven
cierge *m.* wax candle, taper (*for religious purposes*)
ci-joint herein enclosed
cinéma *m.* movies
circulation *f.* traffic
circuler circulate
cité *f.* city, ancient part of a city; **Cité Universitaire** *group of student buildings and dormitories of the University of Paris*
citron *m.* lemon; — **pressé** lemonade
civière *f.* stretcher
civilisation *f.* civilization
classer class
classique classic
client *m.* customer
cloche *f.* bell
cœur *m.* heart; **avoir à** — have one's heart set on; **de tout** — heartily
coin *m.* corner, spot
colis *m.* parcel, package
colline *f.* hill
combattant *m.*: **ancien** — ex-service man
combien (de) how much, how many
commandant *m.* commanding officer, major
commande *f.* order
commander order
comme as, how
commémorer commemorate
commémorati-f, -ve commemorative
commencement *m.* beginning
commencer (à) begin, start, commence
comment how
commerçant *m.* tradesman, merchant
commettre commit
commode convenient
commun common
compagnie *f.* company
compagnon *m.* companion
compatriote *m. and f.* compatriot
compl-et, -ète complete, entire, full
complètement completely
compliqué complicated
composer compose
comprendre understand; include, comprise
compte *m.* account; **se rendre — (de)** to realize; — **rendu** report, account
compter expect, count
comte *m.* count (*title*)
conclure conclude
concourir compete
concours *m.* competitive examination; assistance
condisciple *m.* schoolmate
conduire lead, conduct, take, drive (*auto*)
conférence *f.* lecture, conference
confier confide, trust, entrust
confirmer confirm
confondre confuse
confortablement comfortably
confus confused
congé *m.* leave, holiday
connaissance *f.* acquaintance, knowledge
connaître be acquainted with, know; **s'y** — be an expert (connoisseur)
connu known, well-known
conquérir conquer, win
conseil *m.* advice, counsel; **suivre les —s de** take the advice of
conseiller (de) advise
consentir (à) consent
conséquence *f.* consequence, result
conservatoire *m.* conservatory
considérer consider, esteem
consister consist

consommateur *m.* customer (*in a café*)
constater ascertain, notice
constitué constituted, established
construire construct, build
conte *m.* tale, story
contenir hold, contain
content (de) glad, satisfied (with)
contenu *m.* content
continuer continue
contraire *m.* contrary; **au** — on the contrary
contre against; **par** — on the other hand
contredit *m.* contradiction
contribuer contribute
contrôle *m.* verification
contrôler verify
convaincre convince
convenable suitable, convenient
convenir agree; be suitable (convenient, proper), be the right thing to do
coquet, -te attractive, elegant
correspondance *f.* connection (*between cars, trains, etc.,*) station (*where one changes cars, trains, etc.*)
corriger correct
costume *m.* suit, costume; **—s** clothes
côte *f.* coast; **Côte d'Azur** Riviera
côté *m.* side; **de (mon)** — for (my) part; **à** — **de** beside; — **cour** on the court side; — **jardin** on the garden side
se coucher go to bed
couleur *f.* color
coup *m.* stroke, blow, knock; — **de téléphone** telephone call, ring; — **d'œil** glance; **tout à** — suddenly; **tout d'un** — all at once
cour *f.* court
courageu-x, -se courageous
couramment fluently
courant *m.* running; current; **être au** — **de** be informed about; **mettre au** — **de** inform
coureur *m.* runner, racer, track athlete
courir run, hunt
cours *m.* course (*of study*); **au** — **de** in the course of; **en** — **de** during
course *f.* race
court short
courtoisie *f.* courtesy
cousin, -e *m. and f.* cousin
coûter cost
coutume *f.* custom
coutumi-er, -ère (de) in the habit of, as is one's custom
couvent *m.* convent
couvert covered
couvrir cover
craindre (de) fear
crainte *f.* fear; **avoir** — be afraid; **de** — **que** for fear that
cravate *f.* tie
crayon *m.* pencil
crépuscule *m.* twilight
cri *m.* cry
critique *f.* criticism
crochet *m.* hook; turn; **faire un** — **par** swing around by
croire believe, think
croissant *m.* crescent, crescent roll
croître grow, increase, grow longer, rise
croix *f.* cross
cueillir pick
cuire cook
cuisine *f.* kitchen; (cooked) food
cultivateur *m.* farmer, cultivator
culturel, -le cultural
curiosité *f.* curiosity
cycliste *m.* cyclist

D

dalle *f.* flagstone
dame *f.* lady
dans in, into
danse *f.* dance
danser dance
dater date
de of, from, concerning, for, about, some, by, in, at, on, to, with
débarquer disembark
se débarrasser get rid of
debout standing

se débrouiller get along, get out of difficulty
début *m.* beginning
décevoir deceive
décider (**de**) decide; — (**quelqu'un**) **à** induce (someone) to; **se** — make up one's mind
déclamation *f.* oratory, speech
déclamer recite, deliver
décor *m.* stage setting
découverte *f.* discovery
découvrir discover
décrire describe
dédicacer dedicate, autograph
défendre (**de**) forbid
défense *f.* defence
défilé *m.* procession, parade
dehors outside; **en** — **de** besides
déjà already
déjeuner *m.* lunch **petit** — breakfast
délectable delicious
délicieu-x, -se delicious, delightful
demain tomorrow
demande *f.* request
demander (**de**) ask, ask for, request; **se** — wonder
demeurer dwell, live, remain
demi half
demi-cercle *m.* semicircle
dénicher discover
départ *m.* departure
dépaysé out of one's element, lost
se dépêcher (**de**) hurry
dépit *m.*: **par** — out of spite
déposer deposit
depuis since, for; — **quand?** how long?
déranger disturb
derni-er, -ère last
déroulement *m.* march, development
se dérouler occur, take place, be unfolded, be displayed, be unfurled
derrière behind
dès from the moment of, from, as early as; — **que** as soon as
descendre go down, descend; stay (*at a hotel*)
désespérer despair
désespoir *m.*: **par** — in despair
désirer desire, want; *See* **laisser**
désolé very sorry
détaché *m.* *person on leave from one organization, working temporarily for another*
détester detest, hate
détruire destroy
devant before (*place*)
devanture *f.* (show) window, shop front
développer develop
devenir become
deviner guess
dévoiler unveil, divulge, disclose
devoir ought, should, must, have to, be; owe
devoir *m.* duty, homework
dévoué devoted; yours truly
diamant *m.* diamond
dictée *f.* dictation
Dieu *m.* God
difficile difficult
dimanche *m.* Sunday
diminuer diminish
dîner *m.* dinner
diplôme *m.* diploma
dire (**de**) tell, say; **c'est-à-**— that is to say; **vouloir** — mean; **dites donc** say, look here; **je te l'ai bien dit** I told you so; **pour ainsi** — so to speak; **en** — **des nouvelles** be delighted, be agreeably surprised; **au** — **d'un étranger** according to what a foreigner says
directeur *m.* director, manager
direction *f.* management, guidance
diriger direct; **se** — direct one's steps, make one's way
discours *m.* speech, address
discuter discuss
disparaître disappear
disperser scatter, detach
dissous dissolved
distingué distinguished
distraction *f.* entertainment
distraire amuse, divert
divers various, varied

divertissant amusing
domaine *m.* domain
domestique *m. and f.* servant
dominant ruling, leading; **ordre** — pressing nature
dommage *m.:* **c'est** — it is too bad; **quel** — what a pity
don *m.* gift
donc: (*after verb*) do . . .; **pensez** —! think nothing of it! what an idea!
donner give
Don Quichotte Don Quixote
dont of which, of whom, whose
dormir sleep
dos *m.* back
doté endowed
douanier *m.* customs officer
doute *m.* doubt
douter doubt: **se** — **(de)** suspect
dou-x, -ce gentle, sweet
douzaine *f.* dozen
draisienne *f. primitive forerunner of the bicycle, in vogue in the early 19th century*
dramatique dramatic
drame *m.* drama
drapeau *m.* flag: — **tricolore** tricolor (*French flag*)
se dresser rise up
droit *adj.* straight, right; **à ma —e** to my right; *n. m.* right; law
drôle strange; — **de** queer
dur hard, harsh
durant during
durer last

E

eau *f.* water; **faire venir l'— à la bouche** to make someone's mouth water
ébéniste *m.* cabinetmaker
échanger exchange
écharpe *f.* scarf
s'éclairer light up
éclat *m.* burst, flash
éclatant brilliant, sparkling
éclater break out, burst forth
école *f.* school
écouter listen (to)
écrire write
écrivain *m.* writer
édifice *m.* building
édition (*f.*) **de luxe** specially bound edition
effervescence *f.* excitement
effet *m.* effect; **en** — as a matter of fact, indeed
également also, likewise, equally
égalité *f.* equality
égard *m.* respect; **à son** — toward him; **à l'— de** with regard to
église *f.* church
élégant elegant
élève *m. and f.* pupil
élevé high, lofty, noble
s'élever rise
élire elect
emblée: d'— right away, straight off, at once
emblème *m.* emblem
emmener lead out, take away
émouvant moving, touching
empêcher (de) prevent (from)
empereur *m.* emperor
emploi du temps *m.* daily routine
employer employ, use
emporter bring along, carry away, take away
empreinte *f.* imprint, impression
s'empresser (de) hasten, be eager to
en in, within, like
encadrer frame
enchanté delighted
enchanter enchant, charm
enchant-eur, -eresse delightful, charming
encore more, moreover, furthermore; yet, still; else; — **que** although
encourager encourage
encre *f.* ink
s'endormir go to sleep
endroit *m.* place
enfant *m.* child
enfin finally, after all
s'engouffrer to be swallowed up
ennemi *m.* enemy
ennui *m.* worry, trouble

énorme huge
enrichissant *which adds to one's knowledge and experience*, broadening
enseignement *m.* teaching, instruction, education
enseigner teach
ensemble together
ensuite next
entendre hear; **se faire** — be heard; — **parler** (**de**) hear of, hear spoken
entendu understood; **bien** — of course; **c'est** — all right, O.K.
enti-er, -ère entire
entourer surround
entr'acte *m.* intermission
entre between
entrée *f.* entrance
entreprendre undertake
entrer (**dans**) enter, come in; **faire** — let in, show in; — **en contact** come in contact
entretenir keep up, maintain
envahir invade
enveloppe envelope
envie *f.* desire; **avoir** — (**de**) feel like
environ about
environs *m. pl.*: **aux** — about the time
envoyer send
épancher pour forth
épargner spare
épaule *f.* shoulder
épée *f.* sword
époque *f.* period
épouser marry
épreuve *f.* test, ordeal, race
éprouver experience
épuisant exhausting
équestre equestrian
équipe *f.* team
escalier *m.* stairway
escorter escort
espacé spaced; **intervalles peu —s** short intervals
Espagne *f.* Spain
espèce: en l'— in this particular case
espérer hope
espoir *m.* hope
esprit *m.* spirit, mind, wit
essayer (**de**) try
estudiantin *adj.* student
et and; — . . . — both . . . and; as well as
étage *m.* floor
étaler display, spread out
étape *f.* lap, stage
état *m.* state
États-Unis *m. pl.* United States
été *m.* summer; **en plein** — in midsummer
éteindre extinguish
étendre extend; **s'**— stretch out, extend
éternité *f.* eternity
étoile *f.* star; **place de l'**— a square in Paris
étonnamment astonishingly
étonnant surprising, astonishing
s'étonner be astonished
étrange strange
étranger *m.* stranger, foreigner; **à l'**— abroad
être be; — **de retour** be back; — **des nôtres** join us, be with us; — **parfait** be in the swing; **il est à moi** it is mine; **j'y suis!** I get it; — **pris par** be busy with; — **à même de** to be in a position to, to be able to
étroit narrow
étude *f.* study; **faire des —s** to study
étudiant, -e *m. and f.* student
étudier study
événement *m.* event
éventaire *m.* showcase
évidemment evidently
éviter avoid
évoquer recall, bring back
examen *m.* examination
exemplaire *m.* copy
exemple *m.* example; **par** — for example
exiger require
expert *m.* expert
explication *f.* explanation
expliquer explain
exploser explode

exposition *f.* exhibition
exprimer express
exquis exquisite
s'extasier go into ecstasy
extrait *m.* extract
extraordinaire extraordinary
extrêmement extremely

F

façade *f.* frontage, façade
face (à) *f.* facing
faché very sorry, angry
facile easy
façon *f.* way, method, means
faculté *f.* faculty, school (*of law, medicine, letters, etc., in a university*)
faillir (+*inf.*) almost (*do something*)
faim *f.* hunger; **avoir** — be hungry
faire do, make, take, cause (*to be done*), have, order, grant, give, play (*music*), be (*weather*), train, mean; — **attention** look out, beware; — **beau** be beautiful (*weather*); — **bien (de)** do well to, be right; — **entrer** show in, let in; **se** — **entendre** be heard; **se** — **à** become accustomed to; — **des études** study; **se** — **mal** hurt oneself; — **de (son) mieux** do (one's) best; — **part** inform; — **partie (de)** be a part of, belong to; **se** — **un plaisir de** be glad to; — **(son) possible** do (one's) best; — **la queue** stand, wait in line; — **un tour** take a stroll; — **un voyage** take a trip; — **venir** send for; — **du vent** be windy; — **voir** show; **cela ne fait rien** that makes no difference, it is all the same; **faites comme chez vous** make yourself at home; **croire bien** — mean well; **faites que** grant that; **ne fait que** only, merely
fait *m.* fact, deed; **en** — **de** in the matter of
falloir must, be necessary; **peu s'en faut** very nearly so, almost
fameu-x, -se famous
famille *f.* family
fatigue *f.* tiredness
fatigué tired
faubourg *m.* suburb
faute *f.* fault, mistake
fauteuil *m.* armchair; orchestra seat; — **roulant** wheelchair
fauti-f, -ve at fault
fau-x, -sse false
faveur *f.* favor; **à la** — by means of
favori, -te favorite
félicitation *f.* congratulation
femme *f.* woman; **ma** — my wife
fenêtre *f.* window
fer *m.* iron; **chemin de** — railroad
fermer close; — **la marche** bring up the rear
ferveur *f.* fervour
fête *f.* feast, holiday, celebration; — **nationale** July 14
feu *m.* fire; **arme** (*f.*) **à** — firearm
février *m.* February
fidèlement faithfully
fi-er, -ère proud
figure *f.* face, figure, personage
file *f.* file, line; **en** — **indienne** in Indian file, in single file
fille *f.* girl, daughter; **jeune** — young lady
fillette *f.* little girl
fils *m.* son
fin *f.* end
finir (de) finish
flamboyant striking
flâner saunter, loiter
flèche *f.* arrow; spire
fleur *f.* flower
fleurir flower, flourish
fleuve *m.* river
flotter float
flottement *m.* wavering; **semaines de** — orientation weeks
foi *f.* faith; **ma** —! well! upon my word
fois *f.* time; **à la** — both, at the same time; **encore une** — once again
fonctionnement *m.* functioning
fond *m.* bottom; rear, back; background, basis, theme

fondation *f.* institute, establishment
force *f.* strength
forme *f.* shape
former form, train
formidable tremendous, formidable
fou, fol, folle crazy
foule *f.* crowd
four *m.* oven
fournir furnish
foyer *m.* home, hearthstone; lobby (*theater*)
frais, fraîche fresh
Français, -e French person
français *adj.* French; **à la —e** after the fashion of the French, in the French manner; *n. m.* French language
franchement frankly
frapper strike, knock; surprise, astonish
fraternel, -le brotherly
fraternité *f.* brotherhood, fraternity
frénétique frenzied
fréquentation *f.* frequent visits
frère *m.* brother
froid cold
frondeu-r, -se carping, railing, critical
fronton *m.* façade, pediment, ornamental front
fuir flee
fumer smoke
fusillade *f.* rifle-fire

G

gâcher ruin, spoil
gagner win; earn
gai cheerful, gay
galerie *f.* balcony
gant *m.* glove
garçon *m.* boy, young man; waiter
garder keep
gare *f.* railroad station
Gascogne *f.* ancient French province
gâteau *m.* cake
Gaule *f.* Gaul
gave *m.* mountain stream, torrent (*in the Pyrenees*)
gazon *m.* grass
générale *f.*: **la —** the general's wife
genre *m.* type, kind
gens *m. and f. pl.* people
gentil, -le nice, kind, agreeable, pretty
gentillesse *f.* kindness, graciousness
gérant *m.* manager, proprietor
gerbe *f.* spray (*of flowers*)
gesticuler gesticulate
gloire *f.* glory
goût *m.* taste; **prendre — (à)** come to like
goûter taste, enjoy
gouvernante *f.* governess
gouvernement *m.* government
grâce *f.* thanks; **— à** thanks to
gracieu-x, -se graceful
grammaire *f.* grammar
grand great, large, big, main; tall
grandeur *f.* greatness
gratuit free, gratis
gré *m.*: **à (leur) —** according to (their) wishes, as (they) pleased; **savoir — de** be grateful for
grec, -que Greek
grille *f.* railing
gris grey
gros, -se big fat, thick
grotte *f.* grotto
grouper group
guère: ne . . . — scarcely
guérir cure
guerre *f.* war; **partir en —** go to war
guichet *m.* ticket window
guider guide
gymnase *m.* gymnasium

H

s'habiller to dress, get dressed
habiter live in, inhabit
habitude *f.* habit; **d'—** usually
habituel, -le habitual
haïr hate
Halles Centrales *central market of Paris*
hasard *m.* chance; **par —** by chance
haut *adj.* high; **à —e voix** aloud; *n. m.* top
hauteur *f.* height

hebdomadaire weekly
hellénique Greek
herbe *f.:* **les mauvaises —s** weeds
hésiter (**à**) hesitate
heure *f.* hour, time; **à la bonne —!** fine! **tout à l'—** shortly, in a little while; **de bonne** — early; **à l'—** on time
heureu-x, -se happy
hier yesterday
histoire *f.* history, story
hiver *m.* winter
hommage *m.:* **mes —s** my respects
homme *m.* man
honneur *m.* honor
honte *f.* shame; **j'ai** — (**de**) I am ashamed
honteu-x, -se ashamed, shameful
hôpital *m.* hospital
hospitali-er, -ère hospitable
hôte *m.* host; guest
hôtel *m.* large public building; mansion, hotel; — **de Bourgogne** *name of a troupe of actors who produced plays in a part of the remains of this mansion*

I

ici here; **par** — this way
idée *f.* idea
ignorer ignore, not know
il y a (+ *time word*) . . . ago
illuminer light up; **s'—**be illuminated
immédiatement immediately
importer be important; **n'importe quoi** anything at all, it makes no difference
imposant impressive, imposing
impressionner impress
indescriptible indescribable
indien, -ne Indian; **en file indienne** in Indian file, in single file
indiquer point out
inespéré unhoped for
infiniment infinitely
infirmière *f.* trained nurse
informer to advise, inform
infortuné unfortunate
ingénieur *m.* engineer
s'initier initiate
inonder flood, inundate
inoubliable unforgettable, never to be forgotten
inqui-et, -ète (**de**) worried (about)
inscription *f.* registration
s'inscrire register
insister insist
s'installer settle
instant *m.* instant; **à l'—** (at) this very moment
instruire instruct; **s'—** improve oneself
instruit educated
intellectuel, -le intellectual
intention *f.* intention; **à leur** — for them; **avoir l'—** (**de**) intend (to)
interdit prohibited
intéresser interest
intérêt *m.* interest
interminable endless
interpeller call on
interroger interrogate, question
intriguer intrigue, mystify
introduire introduce
inutile useless
invité, -e *m. and f.* guest
inviter (**à**) invite
ionique Ionic
issu (**de**) sprung (from), descended (from)
itinéraire *m.* path followed, itinerary

J

jaillir burst forth, flash, gush out
jamais ever, never; **ne . . .** — never
janvier *m.* January
japonais Japanese
jardin *m.* garden
jaune yellow
jeter throw, cast
jeudi *m.* Thursday
jeune young
jeunesse *f.* youth
joie *f.* joy
joindre join; **se** — be joined, join
joli pretty
jouer play; **se** — be played

jour *m.* day; **tous les —s** every day; **quinze —s** two weeks; **huit —s** a week; **le — de l'an** New Year's Day
journal *m.* daily paper; **(mon) —** diary
journée *f.* day (*in extent*)
joyeu-x, -se merry, gay
juger judge
juillet *m.* July
juin *m.* June
jumeau, jumelle *m. and f.* twin
jusqu'à as far as; **— ce que** until
juste right, just, fair; **au —** precisely, exactly; **à — titre** rightly
justement as it happens, exactly, precisely

L

là there; present, here; **par —** that way
laboratoire *m.* laboratory
laborieu-x, -se painstaking, studious
là-haut: tout — far up
laideur *f.* all that is ugly
laisser leave, allow; **— à désirer** leave room for improvement
lait *m.* milk
lampion *m.* Chinese lantern
lancer throw, start, promote
langue *f.* language
Languedoc *m.* *ancient French province*
laver wash
leçon *f.* lesson
lecture *f.* reading
légendaire legendary
leg-er, -ère light
légion *f.* legion; **Légion Étrangère** Foreign Legion (*an infantry regiment stationed in Algeria, open to all foreigners over eighteen years of age*); **Légion d'honneur** Legion of Honor (*founded by Napoleon in 1802 to reward those who have made outstanding civil or military contributions to France*)
légume *m.* vegetable
lentement slowly
lequel *m.*, **laquelle** *f.* which one
lettre *f.* letter
lever raise; **se —** get up
lever *m.* raising; **au — du rideau** as the curtain rises
liberté *f.* freedom
libre free, unoccupied
lieu *m.* place; **avoir —** take place; **au — de** instead of; **s'il y a —** if there is reason (need)
ligne *f.* line
liqueur *f.* cordial
lire read
lit *m.* bed
litre *m.* liter
littéraire literary
littéralement literally
livre *f.* pound
livre *m.* book
loger live, lodge
loin far; **au —** in the distance; **— que** far from
loisir *m.* leisure
long, -ue long; *n. m.* length; **le — de** along
longtemps a long while
lors at the time of
lorsque when
louer rent; **— une place** buy a seat (in advance)
lumière *f.* light
lundi *m.* Monday
lune *f.* moon
lunettes *f. pl.* eyeglasses
luxe *m.* luxury
lycéen *m.* student in a lycée (*French secondary school*)
lyrique musical

M

magasin *m.* store
magnifique magnificent, splendid
mai *m.* May
maillot *m.* jersey, light sweater
main *f.* hand; **à la —** in (one's) hands; **poignée de —** handshake
maintenant now
mais but
maison *f.* house

maître *m.* teacher, master; — **d'hôtel** headwaiter
mal *adv.* badly; *n. m.* evil; ache; **avoir — à la tête** have a headache; **se faire —** hurt oneself **avoir du —** to have much difficulty
malade *m. and f.* sick person; *adj.* ill, sick
malgré in spite of; — **que** although
malheureu-x, -se unfortunate, unhappy
malhonnête dishonest
malicieusement slyly, mischievously
manche *f.* sleeve
manger eat
manifester make known; **se —** be made known, show itself
manquer (de) miss, fail to, be without, almost . . .
marchand, -e, *m. and f.* merchant, seller
marche *f.* march; **ouvrir la —** head the procession; **fermer la —** bring up the rear; step, stair
marcher *m.* Tuesday
maréchal *m.* marshal (*highest French military rank*)
mari *m.* husband
marque *f.* proof, evidence, mark; brand
marquer mark, stamp, impress
mars *m.* March
Marseillaise *f. The French national anthem*
masque *m.* mask
matin *m.* morning; **le —** in the morning
matinée *f.* morning (*in extent*)
mauvais bad; **il fait —** it is bad (*weather*)
méchant mean, wicked
mécontent dissatisfied, displeased
médecin *m.* physician, doctor
meilleur *adj.* better; **le —** best
membre *m.* limb, member
même *adj.* same, very, itself; *adv.* even; **à — de** able to, capable of; **de — que** just as
ménagère *f.* housewife
mener lead
mentalité *f.* mentality
menteu-r, -se lying
mentir lie
menu *m.* menu
mer *f.* sea
merci thanks
mercredi *m.* Wednesday
mère *f.* mother
méridional, -e *m. and f.* Southerner
mériter deserve
merveille *f.* marvel
merveilleu-x, -se marvelous
métier *m.* craft, business
métro *m.* Paris subway
mets *m.* dish (*of food*); **les —** (prepared) food
mettre put; put on; — **au courant (de)** inform, tell about, put in touch with; **se — à** start, begin
Midi *m.* southern part of France
mieux *adv.* better; **aimer —** prefer; **pour le —** for the best; **au —** to the fullest
milieu *m.* social environment; midst
militaire military
mille *m.* thousand
millier *m.* about a thousand
ministère *m.* ministry, government department
ministre *m.* Secretary (*cabinet*)
Ministre des Affaires Étrangères Secretary of State
miraculeu-x, -se miraculous
missive *f.* letter
mœurs *f. pl.* habits, manners, customs
moindre: être la — des choses not to amount to anything
moins less; **à — que** unless
mois *m.* month
monde *m.* world; people; **tout le —** everybody
monôme *m.* student parade
monsieur sir, Mister
mont *m.* mount
montagne *f.* mountain
monter go up, climb; — **dans** get in, enter
montre *f.* wristwatch

se montrer appear
morceau *m.* piece
mort *f.* death
mot *m.* word, note
motocycliste *m.* motor-cyclist
mou, mol, molle soft
mouchoir *m.* handkerchief
mourir die
moyen, -ne middle, average
moyen *m.* means, way
muet, -te mute, dumb
multiple a great many, numerous, many different
se multiplier be multiplied, increase
municipalité *f.* municipality
mur *m.* wall
musée *m.* gallery, museum
musicien *m.* musician
musique *f.* music
mystère *m.* mystery, secret

N

nage: à la — swimming
naître be born
navré (de) very, very sorry
ne: — . . . guère scarcely; **— . . . jamais** never; **— . . . pas** not; **— . . . plus** no more, no longer; **— . . . point** not at all; **— . . . que** only; **— . . . rien** nothing; **— . . . aucun** no, not one; **— . . . personne** no one
néanmoins nevertheless
nécessaire necessary
négliger (de) neglect
neige *f.* snow
neiger (to) snow
nettement definitely, distinctly
neu-f, -ve brand-new; **quoi de —?** what's new?
neveu *m.* nephew
nez *m.* nose; **rire au — de quelqu'un** laugh in someone's face
ni . . . ni neither . . . nor
Noël *m.* Christmas
noir black
nom *m.* name
nombre *m.* number
nombreu-x, -se numerous
nommer name, appoint
non no, not
notabilité *f.* notability
note *f.* mark (*in school*)
nôtre: le —, la — ours; **être des —s** join us, be with us
nouveau, nouvel, nouvelle new, different, new-style; **à nouveau** again
nouvelle *f.* news; **en dire des —s** be agreeably surprised, be delighted
nuit *f.* night
nuptial *adj.* wedding

O

objet *m.* object
obstacle *m.* obstacle
obtenir obtain
occasion *f.* time, occasion, opportunity, chance; **avoir l'—** have the chance
occuper to occupy
octobre *m.* October
œil *m.* (*pl.* **yeux**) eye
œillet *m.* carnation
œuf *m.* egg
œuvre *f.* work (*production of the mind*)
office (divin) *m.* church service
officiel, -le official
officier *m.* officer
offrir (de) offer, give, serve
oiseau *m.* bird
omettre omit, neglect, fail
on one, they, we, people
oncle *m.* uncle
or now
or *m.* gold
ordonner (de) order
ordre *m.* order, division, class; **— dominant** pressing nature
oreille *f.* ear; **je suis tout —s** I'm all ears
organiser organize, arrange
s'orienter get one's bearings
orner decorate
oser dare
ou or
où where, when; **— que** wherever
oublier (de) forget
ouest *m.* west

outre: en — in addition
ouvreuse *f.* usher
ouvrier *m.* workman
ouvrir open; — **la marche** head the procession

P

pain *m.* bread
paix *f.* peace
palpitant exciting, thrilling
papier *m.* paper; **mes —s** my identity papers; — **buvard** blotting paper
Pâques *m.* Easter
paquet *m.* package, bundle
par by, a, each, on; through; — **là** that way; — **ici** this way
parapluie *m.* umbrella
paraître appear, seem
parce que because
parcourir cover, ride over, look over
pardon! I beg your pardon!
pareil, -le similar, like
paresseu-x, -se lazy
parfois at times, sometimes
pari *m.* bet
parisien, -ne *adj.* Parisian, in Paris; **Parisien, -ne** *m. and f.* Parisian
parler speak, talk
parmi among
parole *f.* spoken word; **prendre la** — speak
part *f.* portion, share, part; **faire** — inform; **de — et d'autre** on (from) both sides; **prendre — à** participate; **de la — de q.q.** from someone
parterre *m.* pit (*theater*)
participer (à) take part (in)
particuli-er, -ère special, particular
particulièrement especially
partie *f.* part, game; **faire — (de)** be a part (of), belong to
partir leave, depart
partout everywhere
parvenir (à) to succeed (in)
pas *m.* step; **à deux — (de)** close by, near, a few steps from
passant *m.* passer-by
passé *m.* past
passer (à) pass, spend, pass by; — **à table** go into the dining room; — **un examen** take (undergo) an examination; **se** — take place, get along, go on, happen; **se — de** do without
passionné passionate
pasteur *m.* pastor
pâtissier *m.* pastry-cook
patrie *f.* country, fatherland
pauvre poor
pauvrement poorly
pavillon *m.* building, detached house; *general name used for the dormitories at the Cité Universitaire*
payer pay
pays *m.* country
peau *f.* skin; **se mettre dans la — de son personnage** throw oneself into one's part, interpret a role
pêche *f.* peach
peine *f.* trouble, difficulty; **à** — hardly, scarcely; **en valoir la** — be worth while; **se donner la — de** take the trouble to
peindre paint
pèlerin *m.* pilgrim
pèlerinage *m.* pilgrimage
pelouse *f.* lawn
pendant during; — **que** while
pénétrer dans enter
pénible painful, difficult, hard
pensée *f.* thought
penser think; — **à** think about; **pensez donc!** what an idea! think nothing of it! **j'y pense!** by the way!
pente (*f.*) **raide** steep slope
perdre lose
père *m.* father
se perfectionner perfect oneself, train
permettre (de) permit, allow; **se** — take the liberty
personnalité *f.* personality
personne: ne . . . — no one
personnellement personally
perspective *f.* view, perspective

persuadé persuaded
petit small, little
peu few, little; — **à** — little by little, **à** — **près** nearly, almost; **un tout petit** — just a little bit
peuple *m.* people, race
peur *f.* fear; **avoir** — **(de)** be afraid
peut-être perhaps
phrase *f.* sentence
pièce *f.* piece; room; play
pied *m.* foot
piété *f.* piety
piéton *m.* pedestrian
piscine *f.* pool, tank
piste *f.* track
pittoresque picturesque
place *f.* seat, place, theater ticket; square, concourse; **plus de** — more space
plaire please; **plaise à Dieu** God grant; **se** — be happy, like
plaisir *m.* pleasure; **avoir** — **à** take pleasure in, be pleased in; **se faire un** — **de** be glad to
plan *m.* map, plan; **au premier** — in the foreground
plateau *m.* tray
plate-forme *f.* platform
plein (de) full (of)
pleinement fully, to the full
pleuvoir rain
plume *f.* feather, plume; pen
plupart *f.* most
plus more; **ne . . .** — no more, no longer; **de** — moreover; **non** — either
plusieurs several
plutôt rather
poche *f.* pocket; **connaître Paris comme sa** — know Paris extremely well
poignée (*f.*) **de main** handshake
point *adv.*: **ne . . .** — not at all
point *m.*: **sur le** — **de** about to
pointe *f.* point
poisson *m.* fish
politique political
politique *f.* politics
Pologne *f.* Poland
pomme *f.* apple
pont *m.* deck, bridge
porte *f.* door
porter carry, wear
poser put, set, place; **se** — **(sur)** perch, light (upon); — **une question** ask (*a question*)
possible: le plus vite — as fast as possible; **faire (son)** — do (one's) best; **le plus** — as much as possible
poste *f.* post office
poste *m.* position, job
poupée *f.* doll
pour for, in order; — **que** in order that
pourboire *m.* tip
pourquoi why
pourtant however
pourvu que provided that
pousser push, utter, inspire, grow
poussière *f.* dust
pouvoir be able, can; **il se peut** it may be; **je n'en peux plus** I can't eat any more, I can't go on; **on ne peut plus . . .** as (*adj.*) as possible; **puis-je?** may I?
pratique *f.* practice
précéder precede
précieu-x, -se precious, valuable; (*m. and f.*) *person of affected or exaggerated tastes in clothing, as well as in literature*
précisément precisely
préfecture *f.* headquarters (of police)
préjugé *m.* prejudice
premi-er, -ère first; **au** — on the second floor
prendre take; — **garde** take care, beware; — **part à** join, participate; — **plaisir à** take pleasure in; — **le parti de** decide; **à tout** — everything considered; — **goût** come to like; — **la parole** speak; — **une place** buy a ticket; — **la défense de** to side with; **être pris par** be caught up in
préparer prepare; **se** — **à** get ready to

près (de) near; **à peu**—almost, nearly
présentation *f.* introduction
présenter introduce, present, offer
presque almost
presser rush, press; **rien ne vous presse** there is no hurry
prêt (à) ready
prêter lend; — **attention** pay attention
prêtre *m.* priest
prévoir foresee
prier (de) request, ask, pray; **je vous en prie** please
prière *f.* prayer, request
principal main
printemps *m.* spring
prix *m.* price; prize; **à tout** — at all costs
probablement probably
prochain next
proche near
proclamer proclaim
professeur *m.* professor
profiter (de) benefit (from)
profond deep
progrès *m.* progress
projet *m.* project, plan
prolonger prolong, extend
promenade *f.* walk, stroll
se promener take a walk, stroll
promettre (de) promise
prononcer pronounce
propos: à — by the way
proposer propose, suggest
propre (*before noun*) own; (*after noun*) clean
protéger protect
province *f.* province(s), country
provoquer cause, inspire
psychologue *m.* psychologist
puis then
puis-je? *see* **pouvoir**
puisque since
puissance *f.* power
puissant powerful

Q

quai *m.* embankment (*of the Seine*); railroad station platform
qualité *f.* quality
quand when
quant à as for
quart *m.* quarter (*one-fourth part*)
quartier *m.* quarter, section, district
que *conj.* that, than; *rel. pron.* whom, which, that; *interr.* what? *interj.* how many! how! **ne . . .** — only
quel, -le what, which
quelque some; *pl.* a few, some, several
quelquefois sometimes
quelqu'un someone; **quelques-uns** some
queue *f.* tail; waiting line; **faire la** — stand or wait in line
qui *rel. pron.* who, which, that; *interr.* who? whom? — **que** whoever
quinzaine *f.* about fifteen
quinze fifteen; — **jours** two weeks
quitter leave
quoi what; — **que** whatever
quoique although
quotidien, -ne daily; *m.* daily paper

R

raconter tell
raison *f.* reason; **avoir** — be right
ramener bring back
rampe *f.* incline
rang *m.* row
se ranger place oneself
rapidement rapidly
rappeler recall; — **à grands traits** sketch; **se** — recall, remember
rapport *m.* relation, connection, report
rapporter bring in, produce
rarement seldom
rassembler reassemble
rattacher refasten
ravi delighted
ravissant bewitching, lovely
réaliser make come true, realize, carry out
recevoir receive
réclamer claim, call for
reconduire escort
reconnaissance *f.* gratefulness
reconnaissant grateful

reconnaître recognize
rectangulaire rectangular
recueillir collect, take in
redouter dread
réfectoire *m.* dining-hall (*in school*)
refléter reflect
regagner regain, return to, go back to
regard *m.* gaze, look
regarder look (at)
règle *f.* rule, ruler
regretter (de) regret
reine *f.* queen
rejoindre join
se réjouir rejoice, be delighted
religieu-x, -se religious, sacred
reliure *f.* binding
remarquable noteworthy, astonishing
remarquer notice
remerciements *m.* thanks
remercier to thank
remettre hold over, give back, postpone; hand over; put back
remonter climb up again
remplacer replace, take the place of
remplir fill
remuer stir
rencontrer meet
rendez-vous *m.* meeting, appointment
rendormir go back to sleep
rendre make, render — **les honneurs** do the honors, pay one's respects; **se** — go; yield; **se — compte (de)** realize
renoncer (à) renounce, abandon
renseignement *m.* (*piece of*) information; **des —s** some information
renseigner inform; **se** — get information
rentrée *f.* return home; — **des classes** reopening of school
renverser upset, turn over
renvoyer return, dismiss
repas *m.* meal
repertoire *m.* repertory
répéter repeat
répondre (à) reply, answer; — **à son attente** come up to one's expectations
réponse *f.* answer
reposer rest
reprendre resume, take back; take again
représentation *f.* performance, production
représenter represent, perform
réserver keep in store, hold back
résoudre resolve, settle
respectueu-x, -se respectful
respectueusement respectfully
se ressembler resemble
ressentir feel
ressortir go out again
rester stay, remain
résultat *m.* result
retard *m.* delay, lateness, tardiness; **en** — late
retenir detain
retentir resound, ring out
retirer remove; **se** — withdraw, leave
retour *m.* return; **être de** — be back
retourner go back, return; **se** — turn around
retraite *f.* retreat
retrouver find (again)
réunion *f.* meeting
réussir (à) succeed (in)
revanche *f.* revenge; **en** — in return, on the other hand
rêve *m.* dream
révéler show
revenir come back, return
revêtir (de) take on, be clothed with
rêveur *m.* dreamer
revoir see again; **au** — good-bye
révolutionnaire revolutionary
revue *f.* magazine, review
rez-de-chaussée *m.* ground floor, first floor
Richelieu (*1585–1642*) *Cardinal and Prime Minister of France under Louis XIII*
rideau *m.* curtain
ridiculiser make ridiculous

rien *m.* nothing, anything; **ne . . . —** nothing; **— de tel que** nothing like; **cela ne fait —** that makes no difference, it is all the same; **— que** merely; **— de plus facile** nothing easier
rire (de) laugh (at)
se risquer (à) venture, make bold to
robe *f.* dress
rocher *m.* rock
roi *m.* king
roman *m.* novel
romand: la Suisse —e French Switzerland
rompre break; **à tout —** very loudly, frantically
rond round
roue *f.* wheel
rouge red
route *f.* road, highway
rue *f.* street
ruisseler be dripping with sweat
ruse *f.* trick, crafty stratagem

S

sac *m.* bag
sacré holy, sacred
saison *f.* season
sale dirty
salle *f.* hall, large room; **— à manger** dining room, dining hall
salon *m.* parlor, living room
saluer salute
salutation *f.* greeting
samedi *m.* Saturday
sans without; **— que** without
satisfait satisfied
sau-f, -ve safe
sauf except for
saut *m.* jump; **faire un — en voiture** drive right over
sauter jump
se sauver run along; **je me sauve!** I'm off! **sauve qui peut!** every man for himself!
savoir know (how); **que sais-je encore** goodness knows what else; **— gré de** be grateful for; **faire —** let know; **je ne saurais (pas) . . .** I cannot . . .
savoureu-x, -se tasty
scène *f.* stage; scene
scintillement *m.* scintillation
sculpteur *m.* sculptor
séance *f.* session, meeting
sec, sèche dry
sécher une classe cut a class
secrétaire *m. or f.* secretary
secteur *m.* sector
séduire charm, win
Seigneur *m.* Our Lord
Seine *f.* river flowing through Paris
séjour *m.* stay, sojourn
séjourner stay, sojourn, remain, spend time
sélectionné selected, chosen
selon according to
semaine *f.* week
semblable similar, like
sembler seem
semestre *m.* semester
sensationnel, -le sensational
sensible sensitive, appreciative
sentiment *m.* feeling
sentir feel, smell; **se —** feel
sérieusement seriously
sérieu-x, -se serious
serpenter wind
service *m.* service
serviette *f.* napkin
servir serve; **à quoi sert** for what use is; **— à** be used for, be of use
seuil *m.* threshold
seul single, sole; alone
seulement only
si *conj.* if; *adv.* so
siècle *m.* century
siège *m.* seat
signaler call attention to, make known, inform
silencieu-x, -se quiet
simplement simply
situé situated, placed
société *f.* company
sœur *f.* sister
soie *f.* silk
soif *f.* thirst; **avoir —** be thirsty

soin *m.* care
soir *m.* evening
soirée *f.* evening (party); — **de gala** festive occasion
soit (*pres. subj. of* **être**): — . . . — either . . . or; whether . . . or whether
soldat *m.* soldier
soleil *m.* sun
solennel, -le solemn
sommeil *m.* sleep; **avoir** — be sleepy
son *m.* sound
songer (à) think about, dream
sonner ring
sonnerie *f.* ringing (*of a bell*)
sonnette *f.* door bell
Sorbonne *f. seat of the faculties of "Lettres et Sciences" of the University of Paris*
sorte *f.* sort, way; **de — que** so that
sortie *f.* exit
sortir go out
souci *m.* worry
soudain sudden, suddenly
souffler (*literally*) blow; prompt in
souffrir suffer
souhaiter wish
soulever raise, excite
soulier *m.* shoe
soumettre submit, present
soupçonner suspect
sourire *m.* smile
sous under
souscrire subscribe
souvenir *m.* memory, souvenir
se souvenir (de) remember
souvent often
spectacle *m.* show (*theater*)
spectateur *m.* spectator
sporti-f, -ve fond of sports
sportif *m.* athlete, sportsman
studieu-x, -se studious
subitement suddenly
subvention *f.* subsidy
subventionné subsidized
succès *m.* success; **un — fou** a big hit
succomber succomb
sucre *m.* sugar
sud *m.* south; **sud-ouest** southwest
sueur *f.* sweat
suffire be sufficient
suffisamment sufficiently
suisse *adj.* Swiss; **Suisse** *f.* Switzerland; **la — romande** French Switzerland
suite *f.*: **tout de** — at once, right away
suivant following
suivre follow
sujet *m.* subject; **au — de** concerning, about
supercherie *f.* deceit, trickery, ruse
supplier beseech
suprême last, final, supreme
sur on
sûr sure
sur-le-champ right away, without delay
surnom *m.* nickname, appellation
surprendre surprise, detect
surpris surprised
surtout especially
susceptible (de) likely (to)
sympathique congenial, likable

T

tabatière *f.* snuff-box
tableau *m.* picture; — **noir** blackboard
tâcher (de) try
se taire be silent
talon *m.* heel; stub
tandis que while
tant (de) so many, so much; — **que** as long as
tante *f.* aunt
tapis *m.* carpet
taquiner tease
tard *adv.* late
tarder (à) delay (in); **il (me) tarde (de)** (I am) anxious
tardi-f, -ve late
tarte *f.* pie, tart
tasse *f.* cup
tel, -le such
téléphoner telephone

tellement so, so much
tempête *f.* tempest
temps *m.* time, amount of time; weather; **à** — in time; **de** — **en** — occasionally
tendre offer
tenir hold; — **à** be anxious to, want very much to; **se** — be neck and neck; **y** — prize something; **être tenu de** be obliged to
terminer end, finish
terrain *m.* field (*for sports or airplanes*)
terrasse *f.* terrace
terre *f.* land; **par** — on the ground
tête *f.* head; **avoir mal à la** — have a headache
thé *m.* tea
tiens! look! well!
timbre *m.* stamp
timidité *f.* timidity
tirade *f.* speech
tirer pull, draw; **se** — **d'affaire** (**s'en** —) get along
titre *m.* title; **à juste** — rightly so
toc! tap
toit *m.* roof
tombeau *m.* tomb; **à** — **ouvert** at breakneck speed, risking death
tomber fall, drop
tonique stressed, accented
tort *m.* wrong; **avoir** — be wrong
tôt soon, early
toujours always; **ami de** — friend of many years' standing
tour *m.* turn, trip, stroll; trick; **faire un** — take a stroll (walk) **faire le** — **du monde** go around the world
tour *f.* tower
tout, -e (**tous, toutes**) *adj.* all, whole, every; **tous les jours** every day; **tout** *adv.* all, quite, very, typically, most; — **à fait** quite, completely; — **de suite** right away; — **à coup** suddenly; — **d'un coup** all at once; **à** — **prendre** everything considered; — **de même** for all that
traditionnel, -le traditional
traduire translate
trahir betray, give away, reveal
train *m.* train; **en** — **de** in the very act of, busy; — **transatlantique** boat train
trajet *m.* trip, crossing
tranquille still, quiet
transformer transform
transitoire transitional
transmettre convey
travail *m.* work
travailler work, drill, study
travers: à — through, across
traversée *f.* crossing
traverser cross
trembler tremble, fear
trentaine, *f.* about thirty
trépidant vibrating, exciting
très very
tribune *f.* stand
tricolore three-colored; **drapeau** — tricolor (*French*) *flag*
triste sad
se tromper be mistaken
trop (**de**) too, too much
troupe *f.* company of actors, troop of soldiers
trouver find; **se** — be, be located
tuer kill
typiquement typically

U

uni united
unir unite, join
usine *f.* factory, works
utile useful
utiliser utilize, use

V

vacances *f. pl.* vacation
vaincre conquer, overcome, win out
vainqueur *m.* victor, winner
valise *f.* suitcase
valoir be worth; yield, afford; — **mieux** be better; **en** — **la peine** be worth while
varié varied, diversified
vélo *m.* (*fam.*) bike
vélodrome *m.* bicycle-racing track

velours *m.* velvet
vendanges *f. pl.* grape harvest
vendeur *m.* salesman, seller
vendre sell
vendredi *m.* Friday
venir come; — **de** have just; — **à** happen to; **faire** — send for
vent *m.* wind
verdoyant verdant
verdure *f.* greenness
véritable true, real
vérité *f.* truth
verre *m.* glass
vers toward, about, to
vert green
veston *m.* jacket
vêtement *m.* garment, *pl.* clothes
veuillez (*imp. of* **vouloir**) be good enough to
viande *f.* meat
victoire *f.* victory
vie *f.* life
vieillissant aging, growing old
Vierge *f.* Virgin
vieux, vieil, vieille old; **mon vieux** old pal, chum, old man
vif, vive keen, lively, hearty
vilain ugly, bad
ville *f.* city; **en** — in town
vin *m.* wine
violon *m.* violin
visite *f.* visit
visiteur *m.* caller, visitor
vite fast, quickly; **le plus** — **possible** as fast as possible
vitrail *m.* stained glass window
vitrine *f.* shop-window
vivant *m.* life; **de son** — during his life
vivre live
vœu *m.* wish, desire; prayer
voici here is (are)
voie *f.* path, way, means
voilà there is (are), here is (are)
voir see; **faire** — show
voisin, -e *m. and f.* neighbor; *adj.* next
voiture *f.* car
voix *f.* voice; **à haute** — aloud
voler fly
voleur *m.* robber, thief
volontiers gladly
vouloir want; — **bien** be good enough to, be willing to; **en** — **à** be annoyed, bear a grudge, hold it against; — **dire** mean; **veuillez** be good enough to
voûte *f.* vault, arch
voyage *m.* trip; **faire un** — take a trip
voyager travel
voyageur *m.* traveler
vrai true
vraiment truly
vue *f.* view

Y

y there, here, in it, to it, on it
yeux *m. pl.* eyes

ENGLISH–FRENCH

A

able: be — pouvoir
about environ, à peu près; sur; au sujet de; — **to** sur le point de; **talk** — parler de; **what is it all —?** de quoi s'agit-il?
acquaintance connaissance *f.*
acquainted: be (become) — with connaître; **be well — with** connaître comme sa poche
actor acteur *m.*
admire admirer
advice conseils *m. pl.*; **take (follow) the — of** suivre les conseils de
advise informer
Africa Afrique *f.*; **North** — Afrique du Nord
after après
again de nouveau
ago il y a (+*time word*); **a week** — il y a huit jours
airplane avion *m.*
Algeria Algérie *f.*
all *adj.* tout, toute (tous, toutes); — **right** c'est entendu; — **the more because** d'autant plus . . . que
almost presque; (+*p.p.*) manquer de (+*inf.*), faillir (+*inf.*), — . . . peu s'en faut que . . .
alone seul
already déjà
also aussi
although quoique, bien que
always toujours
America Amérique *f.*
American *adj.* américain, -e
and et
another un (e) autre
announce annoncer
answer répondre (à)
anxious: be — to tenir à (+*inf.*)
apple pomme *f.*
appreciate apprécier, goûter
Arabia Arabie *f.*; **Saudi** — Arabie Séoudite *or* Arabie Saoudite
arrival arrivée *f.*
arrive arriver
artist artiste *m. and f.*
as comme, aussi; puisque, parce que; — **soon** — aussitôt que, dès que
atmosphere ambiance *f.*
automobile automobile *f.*
away: (be) être absent, parti

B

bad mauvais, -e; **it is to** — c'est dommage
be être; (*weather*) faire; — **back** être de retour; — **wrong** avoir tort
beautiful beau (bel) *m.*, belle *f.*
because parce que, car
become devenir
before (*time*) avant (de), avant que
begin se mettre à, commencer (à)
better mieux
between entre
book livre *m.*
born: be — naître
brave brave
bring apporter
brother frère *m.*
but mais
buy acheter; — (*a seat*) prendre
by par, en (+*pres. part.*); — **the way!** j'y pense!

C

cake gâteau *m.*
call appeler; — **to the attention** signaler à l'attention
can (*be able*) pouvoir
capital capitale *f.*
car voiture *f.*
care: I don't — ça ne me fait rien, ça m'est égal; — **for** vouloir
champagne (*wine*) champagne *m.*
charming charmant
cheerful gai
child enfant *m. and f.*
city ville *f.*

civilization civilisation *f.*
class classe *f.*
clean propre; *v.* nettoyer
coffee café *m.*
cool frais, fraîche
come venir; — **in** entrer; — **back** revenir
coming *adj.* futur, prochain
common commun
companion: traveling — compagnon (*m.*) de voyage
congenial sympathique
conservatory conservatoire *m.*
continue continuer (à)
correct corriger
cost coûter
country (*nation or region*) pays *m.*; (*as opposed to the city*) campagne *f.*
course (*of study*) cours *m.*; **in the — of** au cours de; **of** — bien entendu
cream crème *f.*
crossing traversée *f.*
cultural culturel, -le
cup tasse *f.*
cut (*a class*) sécher

D

dance danser
day jour *m.*; (*in extent*) journée *f.*
dear cher , chère
deck pont *m.*
delay tarder (à); **without** — sans tarder
delighted (at, with) enchanté (de)
delightful ravissant, excellent
departure départ *m.*
diction diction *f.*
die mourir
dinner dîner *m.*
disperse disperser
do faire
doctor médecin *m.*, docteur *m.*
domain domaine *m.*
dozen douzaine *f.*
dream rêve *m.*
drink boire
dry sec, sèche
during pendant

E

ear oreille *f.*
early de bonne heure; **as — as** dès
easy facile
eat manger; **I can't — any more** je n'en peux plus
egg œuf *m.*
either (*after neg.*) non plus; **either . . . or** soit . . . soit
electric électrique
end bout *m.*, fin *f.*
England Angleterre *f.*
enough assez (de)
enter entrer (dans)
era ère *f.*, époque *f.*
especially surtout
even *adv.* même
evening soir *m.*; (*in extent*) soirée *f.*
every tout, toute (tous, toutes); chaque
everywhere partout
exchange échanger
excellent excellent
exercise exercice *m.*
excuse excuser
expect attendre, s'attendre à; (*intend*) compter
expensive cher , chère
express exprimer
eye œil *m.* (yeux *m. pl.*)

F

fast *adj.* rapide; *adv.* vite
father père *m.*
February février *m.*
few: a — quelques
find trouver
first *adj.* premi-er, -ère
follow suivre
food cuisine *f.*
foot pied *m.*; — **race** course (*f.*) à pied
for *prep.* pour, pendant; *conj.* car, que
fortnight quinzaine *f.*
fortunate heureu-x, -se, fortuné
franc franc *m.* (*French unit of money*)
freeze geler

French *adj.* français, -e; — **(language)** français *m.*
Frenchman Français *m.*
friend ami, -e *m. and f.*
from de

G

game match *m.*
general général *m.*
genius génie *m.*
gentleman monsieur *m.*
get chercher, aller chercher; — **up** se lever
give donner
glad content; **be — to** se faire un plaisir de
go aller; — **on** se passer; — **out** sortir; — **down** descendre; — **upstairs** monter; — **off** sortir, s'en aller; **Let us not — there** n'y allons pas
good bon, -ne
great grand
greatly fortement
Greek *adj.* grec, -que
greetings salutations *f. pl.*

H

handkerchief mouchoir *m.*
happy heureu-x, -se
hard dur, difficile; **study** — étudier beaucoup
hardly durement, difficilement
head tête *f.*, chef *m.*
headache: have a — avoir mal à la tête
hear entendre
heart cœur *m.*
here ici
help aider (à)
home maison *f.*; **at** — à la maison, chez (moi)
homework devoir *m.*
honest brave, honnête
hope espérer
hot chaud
house maison *f.*, salle *f.* (*theater*)
how comment
hunger faim *f.*
hurry: in a — pressé

I

idea idée *f.*
impress impressionner
impressive impressionnant
influence influence *f.*
install installer
interest intérêt *m.*
interesting intéressant
international international
introduce présenter
invite inviter (à)

J

just justement, à ce moment là

K

kill tuer
kindly veuillez (+*inf.*)
know savoir (*thing*); (*be acquainted with*) connaître

L

language langue *f.*
large grand
late *adv.* tard; **be** — être en retard
Latin *adj.* latin, -e
leave quitter (+*direct object*), partir, s'en aller
leg jambe *f.*
less moins
let laisser; — **in** faire entrer; — **know** faire savoir
letter lettre *f.*; **love** — billet doux *m.*
liberty liberté *f.*; **take the** — se permettre (de)
life vie *f.*
light lumière *f.*; — **of day** jour *m.*
like aimer
literary littéraire
little *adj.* petit; *adv.* peu (de)
live vivre
long long, -ue; **a long time** longtemps

look: — **at** regarder
lot beaucoup (de)
love aimer

M

main principal
make faire
man homme *m.*
many beaucoup (de), bien des
match match *m.*, partie *f.*
mouth bouche *f.*
may pouvoir
meet se réunir, rencontrer; aller à la recontre (de); faire la connaissance de
meeting réunion *f.*
memorable inoubliable, mémorable
middle aged d'un certain âge
mind esprit *m.*; **to have in** — y penser
mission mission *f.*
moment moment *m.*
money argent *m.*
month mois *m.*
morning matin *m.*; **good** — bonjour *m.*
much beaucoup; **as** — **as** autant que; **very** — beaucoup; **too** — trop (de); **so** — tant (de)
must devoir, falloir; **one** — il faut que

N

naturally bien entendu; naturellement
near près de, à deux pas
need avoir besoin de
neighbor voisin, -e *m. and f.*
neither . . . **nor** ne . . . ni . . . ni
news nouvelles *f. pl.*
next *adj.* prochain; *adv.* ensuite
nobody personne *m.*, ne . . . personne
nor: neither . . . — ne . . . ni . . . ni
North nord *m.*
not ne . . . pas; — **only** non seulement
nothing rien, ne . . . rien; **is — to me** ne me fait rien
novel roman *m.*
now maintenant; —! tiens!
number nombre *m.*
numerous nombreu-x, -se

O

offer offrir (de)
often souvent
old vieux (vieil) *m.*, vieille *f.*; **be . . . years old** avoir . . . ans
once une fois; **at** — tout de suite, sur-le-champ, d'emblée
one *pron.* on
only *adj.* seul; *adv.* ne . . . que, seulement
open ouvrir
opinion opinion *f.*
opportunity occasion *f.*
or ou
order ordre *m.*; **in** — **to** pour; **in** — **that** pour que
order (*at a café*) commander
other *adj.* autre; **each** — se
own propre (*precedes noun*)

P

Parisian parisien, -ne; de Paris
pass passer; — **up** manquer
pay payer
peach pêche *f.*
peel peler
pencil crayon *m.*
people gens *m. and f. pl.*
perfect parfait
plan former le projet
play (*drama*) pièce *f.*
please plaire, faire plaisir à, veuillez (+*inf.*), je vous prie, s'il vous plaît
pleased content (de); heureu-x, -se (de); **be — to** avoir plaisir à
pleasure plaisir *m.*
pocket poche *f.*
poetry vers *m. pl.*
popular populaire
potato pomme de terre *f.*
prefer préférer, aimer mieux
present: at the — time actuellement
present cadeau *m.*
profitable profitable

program programme *m.*
project projet *m.*
pronounce prononcer
proposed proposé
prospect perspective *f.*

Q

quarter (section) quartier *m.*

R

rather plutôt
reach arriver à, atteindre
read lire
real vrai
receive recevoir
recognize reconnaître
red rouge
remember se rappeler, se souvenir de
repeat répéter
reply répondre à
return (*come back*) revenir; (*go back*) retourner; (*return home*) rentrer
right droit *m.*; **be** — avoir raison
romantic romantique
run courir

S

Saudi Arabia Arabie Séoudite *f.*, Arabie Saoudite *f.*
say dire
scarcely à peine, ne . . . guère
school école *f.*
season saison *f.*
see voir
seem sembler, paraître
serve servir
several plusieurs
sight spectacle *m.*, scène *f.*, coup d'œil *m.*
sister sœur *f.*
slowly lentement
soldier soldat *m.*
solve résoudre
some quelque; *pron.* quelques-uns, en
someone quelqu'un
something quelque chose *m.*
soon bientôt; **as** — **as** aussitôt que, dès que
sooner plus tôt
sorry (be) regretter
South sud *m.*; — **of France** Midi *m.*
Spain Espagne *f.*
speak parler
spell charme *m.*; **come under the** — se laisser vaincre par le charme
spend (*time*) passer
spirit esprit *m.*
stadium stade *m.*
start commencer
statue statue *f.*
stay séjour *m.*
stay rester, séjourner
stroll tour *m.*; **go for a (take a)** — faire un tour, faire une promenade, se promener
student étudiant, *m.*
studious studieu-x, -se
study étudier, travailler; — **hard** étudier (travailler) beaucoup
such tel, -le; — **a** un tel, une telle
summer été *m.*
sure sûr
sweet dou-x, -ce
Switzerland Suisse *f.*

T

take prendre, conduire, mener
talent talent *m.*
talk conversation *f.*
talk parler
tea thé *m.*
teacher professeur *m.*
team équipe *f.*
tell dire
tennis tennis *m.*
than que
thank remercier
thanks (to) grâce (à)
there là, y; — **is** (are) il y a
thing chose *f.*
think penser; — **of, about** y penser
thirsty (be) avoir soif
throw jeter
time temps *m.*; fois *f.*
today aujourd'hui
tomorrow demain
tongue langue *f.*
too much trop

tooth dent *f.*
town ville *f.*
train train *m.*
travel voyager
traveling companion compagnon (*m.*) de voyage
trip voyage *m.*; **take a —** faire un voyage
true vrai
try essayer (de)

U

uncle oncle *m.*
understand comprendre
United States États-Unis *m. pl.*
universal universel, -le
university université *f.*
unusual: be — sortir de l'ordinaire
use usage *m.*, emploi *m.*
use se servir de, utiliser

V

very très, bien, extrêmement; **— much** beaucoup
victory victoire *f.*
village village *m.*
visit visite *f.*
visit visiter; (*a person*) rendre visite (à)
voice voix *f.*

W

wait attendre
walk marcher, se promener
want vouloir
water eau *f.*
weather temps *m.*
week semaine *f.*, huit jours; **two —s** quinze jours
well *adv.* bien
whenever quand
who *rel. pron.* qui; *interrog. pron.* qui? qui est-ce qui?
whoever qui que
win gagner, acquérir
wine vin *m.*
winter hiver *m.*
wipe essuyer
with avec
without sans
wonderful magnifique, merveilleu-x, -se
work travail *m.*, œuvre *f.*
work travailler
write écrire

Y

year an *m.*; (*in extent*) année *f.*
yes oui
yesterday hier
young jeune

index

The numbers refer to pages.

1 2 3 4 5 6 7 8 9 10